D0306176

Selina s'écroula sans bruit sur la scène…

Elle leva les yeux. Ce n'était pas un fantôme…

"Tu…tu n'es pas mort… " balbutia-t-elle.

"Je n'étais pas à bord de l'avion."

"Claire?"

"Elle était à bord, " répondit Ashley brièvement.

"Oh…je suis navrée. "

"Vraiment? —Tu la détestais ! "

"Pas au point de souhaiter sa mort… "

"Tandis que tu as dû te réjouir de la mienne, " suggéra-t-il.

Pour un empire, elle n'aurait voulu qu'il pût se douter de sa véritable réaction…

Quelques commentaires de nos lectrices sur les romans Harlequin...

"Jamais je n'ai lu un livre avec autant de passion, surtout que chaque livre comprend un tendre roman d'amour."
J.G.B.,* St. Elzéar, P.Q.

"Je vous félicite pour cette initiative de lancer des livres d'abord facile et détendant faisant appel à un sentiment universel, l'amour."
C.L., Beauce, P.Q.

"Je les ai lus, pour ne pas dire dévorés."
E.G., Delisle, P.Q.

*Noms fournis sur demande.

EN UN LONG CORPS A CORPS

Charlotte Lamb

Collection Harlequin

PARIS · MONTREAL · NEW YORK · TORONTO

Publié en juin 1979

Deuxième impression octobre 1979
Troisième impression août 1982

© 1979 Harlequin S.A. Traduit de *The Long Surrender,*
© 1978 Charlotte Lamb. Tous droits réservés. Sauf pour des
citations dans une critique, il est interdit de reproduire ou
d'utiliser cet ouvrage sous quelque forme que ce soit, par des
moyens mécaniques, électroniques ou autres, connus
présentement ou qui seraient inventés à l'avenir, y compris la
xérographie, la photocopie et l'enregistrement, de même que
les systèmes d'informatique, sans la permission écrite de
l'éditeur, Editions Harlequin, 225 Duncan Mill Road, Don Mills,
Ontario, Canada M3B 3K9.

Le présent récit étant une œuvre de pure fiction, toute
ressemblance avec des personnes vivantes ou décédées
serait due au seul hasard.

La marque déposée des Editions Harlequin, consistant des
mots Harlequin et Collection Harlequin, et de l'image d'un
arlequin, est protégée par les lois du Canada et des Etats-Unis,
ainsi que dans d'autres pays.

ISBN 0-373-49052-6

Dépôt légal 2e trimestre 1979
Bibliothèque nationale du Québec et Bibliothèque nationale
du Canada.

Imprimé au Canada—Printed in Canada

1

Selina était dans la salle de bains lorsqu'elle entendit le bruit du journal qui tombait de la boîte aux lettres sur le sol de l'entrée. Elle continua à se brosser vigoureusement les dents, en observant son reflet dans la glace. Elle décida qu'il était temps de prendre rendez-vous chez le coiffeur. Elle se coiffait généralement elle-même et se faisait des mises en plis sur de gros rouleaux, pour laisser ensuite les boucles de cheveux blond vénitien encadrer librement son visage mince. Elle ne les faisait couper que tous les deux mois.

Elle grimpa sur son pèse-personne, eut un sourire satisfait et sortit de la pièce en nouant plus étroitement la ceinture de son déshabillé de soie.

Elle ramassa le journal, le mit sous son bras et se dirigea en bâillant vers la cuisine. Elle se versa un jus d'orange avant d'arrêter le percolateur qui sifflait furieusement. Elle glissa une tranche de pain dans le toaster et s'assit. Tous ses gestes étaient automatiques.

Elle but une gorgée de jus de fruits et jeta un coup d'œil distrait à la première page du quotidien. Soudain, sa main se mit à trembler, lâcha son verre qui tomba et se brisa au sol.

— Non! murmura-t-elle d'une voix rauque, en secouant inconsciemment la tête de droite à gauche. Non! Ce n'est pas vrai...

Fiévreusement, elle se mit à lire l'article dont le gros

titre l'avait bouleversée. Un avion s'était écrasé dans les montagnes péruviennes. Il n'y avait aucun survivant. Le journal publiait la photographie de trois célébrités victimes de la catastrophe. Mais c'était une autre image que Selina contemplait. Tout le sang s'était retiré de son visage. Ses lèvres décolorées prononçaient un nom...

Le téléphone sonna, et elle sursauta violemment. Elle passa la main sur ses yeux humides, puis se força à prendre une profonde inspiration avant de se diriger très lentement vers l'appareil.

— Allô! parvint-elle à articuler d'une voix enrouée, comme si elle avait perdu l'habitude de parler.

— Selina? C'est Roger. Tu as vu le journal d'aujourd'hui?

L'intonation était pressante et anxieuse.

— Oui, répondit-elle, sourdement.

Il y eut un silence.

— Comment te sens-tu? C'est un gros choc pour toi, non? J'ai eu du mal à y croire... Je peux me libérer, ce matin. Veux-tu que je passe te voir?

— Non, refusa-t-elle nettement. Ce n'est pas la peine.

— Tu es sûre? Ecoute, j'expliquerai que le mari de ma sœur a trouvé la mort dans un accident...

— Ex-mari, rectifia-t-elle. Nous étions divorcés...

— Bien sûr, dit-il, gêné. Mais ce doit être tout de même un coup pour toi...

— Oui... reconnut-elle tout bas.

Elle avait envie de couper la communication. Des larmes roulaient doucement sur ses joues, et elle savait qu'elle flancherait tôt ou tard. Or elle tenait à ce que personne, fût-ce Roger, ne se rendît compte à quel point elle souffrait.

— Si vous ne vous étiez pas séparés, tu serais une veuve très fortunée... poursuivit pensivement Roger.

— Pour l'amour du ciel! s'écria la jeune femme, soudain envahie de colère. Comment peux-tu penser à l'argent dans un moment comme celui-là!

— Il est normal de penser qu'Ashley a dû laisser une grosse fortune derrière lui... J'ai vu que Claire Leslie était morte dans l'accident, elle aussi. Ce n'est donc pas elle qui l'aura. Comment était-elle?

— Belle, répondit Selina avec une dureté inconsciente.

Il était absurde de ressentir encore le pincement douloureux de la jalousie, après trois ans... A présent, Ashley était mort, et vivre dans un monde où il n'existait plus était intolérable.

— Si Ashley est tombé amoureux d'elle, il fallait bien qu'elle ait quelque chose d'exceptionnel, remarqua négligemment Roger.

Selina pensa avec colère que son frère était vraiment dénué de toute sensibilité. Il ne lui venait jamais à l'esprit que ses paroles pouvaient blesser...

— Je te laisse. J'ai beaucoup à faire, aujourd'hui.

— Oh... je voulais seulement prendre de tes nouvelles...

— Je vais bien, merci.

— Après tout, tu es ma petite sœur, ajouta-t-il gaiement.

Selina, à ces mots, eut un léger rire. Elle ne pouvait jamais rester longtemps fâchée avec Roger. Elle savait pourtant qu'il était d'un égoïsme forcené, mais il leur fallait rester unis, tous les deux. Ils n'avaient plus aucune famille, et ils en avaient tellement vu ensemble! Roger n'ignorait pas qu'il pouvait toujours compter sur sa sœur.

— C'est toi, mon petit frère, rectifia-t-elle. Je suis l'aînée...

— C'est pareil... Dommage pour l'argent, tout de même. J'aurais parfaitement su l'utiliser!

Elle avait saisi l'allusion, et c'était bien ce qu'il voulait.

— Roger, tu n'as pas joué de nouveau? interrogea-t-elle d'une voix inquiète.

— Je suppose qu'Ashley ne te laisse rien? reprit-il,

ignorant la question. Même en souvenir du bon vieux temps? Il était fou de toi, et c'est toi qui as demandé le divorce. Peut-être n'a-t-il pas modifié son testament?

— Tu ne penses tout de même pas que je toucherais à son argent? s'exclama Selina furieuse.

— Sœurette, tu es folle, ne parle pas ainsi!

Son ton véhément angoissa sa sœur.

— Combien as-tu perdu, cette fois-ci?

— Nous en parlerons plus tard. Il faut que je file. Salut, petite sœur!

Selina posa doucement le combiné et se laissa aller à des souvenirs qu'elle croyait enfouis à jamais.

Ashley...

Ses lèvres formaient silencieusement son nom, et une profonde douleur la déchirait, alors qu'elle essayait d'accepter l'idée de sa mort.

Elle retourna à la cuisine et s'accrocha à l'évier, s'efforçant de respirer calmement et régulièrement. Cela l'apaisa quelque peu. Elle se versa une tasse de café.

Apparemment, Ashley n'avait pas épousé Claire, bien que leur présence sur le même avion ne pût être fortuite. Sans doute une expérience matrimoniale lui avait-elle suffi. C'était un célibataire endurci et prudent, lorsque Selina l'avait rencontré. Et leur bref et infernal mariage avait dû le renforcer dans ses convictions. Il en était de même pour elle. Elle savait qu'elle ne se remarierait jamais...

Elle lava et essuya la vaisselle, rangea la cuisine. Ces gestes quotidiens lui faisaient du bien, l'empêchaient de trop penser.

Involontairement, elle choisit dans sa penderie une robe grise qui reflétait son état d'âme. Elle se maquilla avec soin et terminait tout juste lorsque le téléphone sonna de nouveau. Elle hésita à répondre, de peur que ce ne fût un journaliste. Mais c'était Freddy, la voix pleine de compassion chaleureuse.

8

— Ecoute, mon ange, si tu ne veux pas venir ce soir, ne t'en fais pas. Je trouverai une remplaçante.

— Non, merci, Freddy. Cela ira.

— Sûre, bébé?

Freddy la connaissait trop pour ignorer à quel point elle était touchée. Selina avait débuté dans sa boîte de nuit. Elle n'était alors qu'une petite chanteuse de seize ans, ambitieuse et tremblante, fagotée dans une robe d'emprunt. Depuis ces trois dernières années, sa carrière avait vraiment démarré. Son impresario lui trouvait des contrats intéressants. Elle était partie en tournée pour une comédie musicale, et, à présent, on parlait de l'Amérique. Elle commençait à se faire un nom... Mais elle ne manquait pas de se produire de temps en temps chez Freddy, en témoignage de reconnaissance. Elle était heureuse que ce fût le cas ce jour-là. Freddy était la seule personne qui sût quels étaient ses sentiments réels pour Ashley.

— Je viendrai, Freddy, dit-elle fermement. Cela m'aidera, de chanter.

— Comme madame voudra, murmura-t-il... C'est moche, cette disparition. Je suis navré, Selina. Je l'admirais beaucoup, ce type... J'aurais pu t'appeler plus tôt, mais j'ai pensé qu'il valait mieux que tu aies un peu digéré le coup.

— C'en a été un!

— Tu peux le dire! Je n'arrive pas à croire qu'il est mort...

Le souffle de Selina devint rauque, et Freddy fit claquer sa langue, confus.

— Mon Dieu, pardonne-moi, Selina. Je suis un imbécile!

— Non, répondit-elle en se dominant. Tu as seulement dit ce que tu pensais. J'ai, moi aussi, du mal à réaliser...

Et c'était pire que tout... Elle n'aurait plus aucune chance de le voir, de l'entendre. Elle avait cru, des années durant, qu'elle ne supporterait jamais de poser les yeux sur Ashley; mais savoir que c'était désormais impossible était plus affreux encore. Il y avait toujours eu un mur entre eux. A présent, c'était un abîme, définitivement infranchissable...

Freddy raccrocha, et elle alla à la fenêtre du salon. Elle habitait là depuis dix ans, au prix de sacrifices qu'elle ne regrettait pas, car elle adorait la vue qui s'offrait à elle.

L'appartement donnait sur la Tamise, qui était ce jour-là aussi grise que le ciel d'automne. Les immeubles de bureaux, les clochers des églises et les lointaines cheminées d'usines formaient une ligne d'horizon irrégulière. Quelques mouettes survolaient le fleuve, et deux péniches passèrent, escortées par une vedette de la police.

Une journée banale, pensa amèrement Selina... Et Ashley Dent gisait quelque part sur les pentes neigeuses d'une montagne sud-américaine, sa chevelure brune soulevée par un vent glacial, sous les décombres d'un avion...

Selina avait l'habitude de faire ses courses dans un supermarché voisin, en comparant soigneusement les prix pour dépenser le moins possible. A présent que sa situation était plus florissante, elle avait gardé ce principe d'économie. Elle s'y rendit donc et s'arrêta ensuite dans un établissement violemment éclairé pour prendre un café. L'environnement lui sembla plus agressif que jamais.

Sur le chemin du retour, un gros titre à la devanture d'un kiosque lui sauta aux yeux : catastrophe aérienne. Elle détourna la tête, ses boucles dorées dansant doucement autour de son visage exsangue. Malgré son manteau garni de fourrure, elle était glacée.

Devant son immeuble, elle rencontra une voisine qui avait visiblement envie de bavarder un instant.

— Où travaillez-vous, cette semaine?

— Dans un cabaret de Mayfair, répondit Selina un peu sèchement.

Elle tournait les talons lorsqu'elle s'entendit rappeler :

— Au fait !... J'oubliais, un journaliste vous cherchait, tout à l'heure. Il est reparti... Il n'a pas dit ce qu'il voulait...

Le cœur de Selina fit un bond. Un journaliste... Il avait dû découvrir le divorce, bien sûr !

La jeune femme grignota un morceau de fromage accompagné de salade et essaya de lire un peu. Mais elle avait du mal à se concentrer sur les lignes. Vers quatre heures, son impresario lui téléphona. Il était au courant de l'accident mais ne semblait pas bouleversé outre mesure. Ses préoccupations étaient d'un autre ordre.

— Je n'arrive pas à savoir si une publicité à ce sujet serait bonne ou mauvaise, dit-il pensivement. Vous n'étiez pas connue, au moment de votre mariage. Le public doit penser que vous avez toujours été célibataire... c'est une plus jolie image. Un divorce... enfin, nous verrons.

Quand il eut raccroché, Selina regarda par la fenêtre le ciel qui s'assombrissait. Ses frêles épaules étaient de nouveau secouées de sanglots. Elle se domina et alla brancher la télévision. La pièce était insipide. Elle soupira. Il ne lui fallait surtout pas rester inoccupée. Elle se rendrait au cabaret de bonne heure, ce soir. L'atmosphère de son appartement lui semblait irrespirable.

Deux heures plus tard, elle était dans sa minuscule loge. Elle se maquillait avec soin lorsque Freddy passa la tête par l'entrebâillement de la porte.

— Comment va ma princesse ?

C'était un petit homme mince d'une cinquantaine d'années, aux cheveux grisonnants. Son visage vif et intelligent inspirait confiance. Selina lui sourit, en battant de ses longs faux-cils bruns.

— A toi de me le dire, fit-elle légèrement.

Il la regarda dans le miroir, une grande gentillesse dans ses yeux de chien battu.

— Bravo pour le maquillage, princesse... Tu es toujours décidée à y aller?

— Tu parles comme si j'étais décomposée...

— Tu es aussi jolie que d'habitude... extérieurement!

— Et à l'intérieur?

Il s'approcha et lui mit les mains sur les épaules.

— Désolé... Allons, la tête haute, petit soldat!

Elle sourit en le regardant dans les yeux :

— Ça ira!

— J'en suis sûr. La salle est comble. Quand ils te verront dans cette robe, ils vont devenir fous!... C'est chic de ta part de venir chanter ici. Je sais que tu as des offres plus intéressantes...

— C'est en souvenir du bon vieux temps, dit-elle gentiment. Je te dois plus que je ne pourrai jamais te rembourser...

— Tu ne me dois rien!

— C'est toi qui m'as offert une chance.

— Pourtant, donner une gamine de ton âge en pâture à ces diables que sont mes clients...

— Je t'en étais reconnaissante et je le serai toujours... J'avais besoin de cet argent.

— Oui, je sais, fit Freddy soudain sérieux. Et ton frère continue à te saigner à blanc...

— Freddy! s'écria la jeune femme empourprée par la colère. Ne parle pas ainsi de Roger. Tu es injuste!

— C'est cela... Mais enfin, quand réaliseras-tu que le jeu est une véritable drogue, pour lui? Tant que tu continueras à lui donner de l'argent, il jouera!

— Je le sais, soupira-t-elle en inclinant la tête. Qu'y puis-je? Tu n'ignores pas ce qui se passe quand je refuse de payer?

— Quelques râclées de ce genre, et il perdra l'habitude...

— Ou la vie... Non, ce n'est pas possible. Roger n'a été que trop roué de coups dans son enfance...

Freddy secoua la tête.

— Ton beau-père était vraiment un beau salaud! Le jour où il est mort devrait devenir une fête nationale!

Selina avait pâli, ses sauvages yeux verts lançaient des éclairs.

— Ne me le rappelle pas!

Elle se leva et lui fit face.

— Allons-y, c'est l'heure.

— Comment ce damné petit corps parvient-il à tenir debout? s'exclama Freddy franchement admiratif.

— Par la force de la volonté!...

Elle se dirigea vers la porte, sa silhouette mince et voluptueuse moulée par la robe de soie noire comme par une seconde peau. C'était un fourreau qui révélait son dos jusqu'aux reins et découvrait à demi ses jeunes seins ronds.

— Tu oublies tes gants, fit remarquer Freddy.

— C'est chaque soir pareil! répliqua Selina avec une petite grimace.

— Oubli significatif... plaisanta son ami.

Elle sourit et enfila les longs gants noirs qui montaient jusqu'au coude, soulignant la quasi-nudité de son buste.

La petite scène était obscure. Selina alla s'appuyer au piano, tournant le dos à l'assistance. Soudain, un projecteur s'alluma, la prenant dans sa lumière, exaltant l'éclat de sa peau dorée. Selina se retourna, ondulant langoureusement, vers le public. Puis elle se mit à chanter, accompagnée par le pianiste. Lorsqu'elle retira ses gants lentement, de façon provocante, des sifflets et des trépignements se firent entendre. Selina s'approcha du bord de la scène, faisant tournoyer un gant dans sa main, puis elle le jeta dans la salle. Quelqu'un s'en saisit, et les sifflements reprirent de plus belle. « Encore! Encore! »

Optimistes!... pensait-elle en terminant sa chanson. Elle salua sous les applaudissements, souriante, parcourant le public des yeux. Soudain, elle se sentit glacée. Tapi dans l'ombre, elle venait d'apercevoir un visage... un visage grimaçant, aux paupières à demi closes au-dessus de la fumée d'un cigare, à la bouche sensuelle mais dure. Le regard gris d'acier la poignardait à travers la salle.

Selina s'écroula sans bruit sur la scène...

Quand elle revint à elle, elle était étendue sur le petit canapé de sa loge. Elle soupira, fronça les sourcils. Que s'était-il passé? La mémoire lui revint brusquement, et elle s'efforça de se redresser.

Une main la repoussa en arrière. Elle leva les yeux et un grand froid l'envahit. Ce n'était pas un fantôme... C'était bien sa haute silhouette mince. L'épaisse chevelure brune striée d'argent encadrait son visage. La veste de smoking parfaitement coupée convenait aux larges épaules de l'homme.

— Tu... tu n'es pas mort... balbutia-t-elle.

Il se contenta de secouer la tête.

— Mais ils avaient dit... pas de survivants...

— Je n'étais pas à bord de l'avion. J'ai eu un empêchement de dernière heure.

Selina resta sans voix. Le soulagement la faisait chavirer. Elle respirait fort, comme pour mieux sentir sa présence. Soudain, elle leva les yeux.

— Claire?...

— Elle était à bord, répondit-il brièvement.

— Oh... je suis navrée.

— Vraiment?

— Mais oui!

Il avait parlé d'une voix méprisante, et déjà, elle sentait la froide hostilité renaître en elle. Comme si sa présence physique déclenchait une réaction qu'elle était incapable de contrôler.

— Tu la détestais, dit-il sèchement.

— Pas au point de souhaiter sa mort...

— Tandis que tu as dû te réjouir de la mienne, suggéra-t-il, les yeux rétrécis.

Elle ne répondit pas. Pour un empire, elle n'aurait voulu qu'il pût se douter de sa véritable réaction, à l'annonce de l'accident. Elle tenta de s'asseoir, mais sa tête tournait, et Ashley la repoussa contre les coussins.

— Ne me touche pas! ne put-elle s'empêcher de crier, soudain prise de panique.

Il se raidit, et son sourire devint cruel.

— Désolé. J'avais oublié que tu étais inapprochable.

Insolemment, il la déshabillait du regard froid de ses yeux gris.

— Sous les feux de la rampe, c'est quelqu'un d'autre qu'ils admirent, n'est-ce pas? Tu as changé de style, depuis la dernière fois que je t'ai vue. J'ai eu du mal à croire que c'était toi. Qui t'a appris? Chacun de tes gestes est sensuel et provocant : ta façon d'onduler en marchant, cette robe qui te révèle plus qu'elle ne te voile, les sourires que tu leur adresses...

— Tais-toi! murmura-t-elle d'une voix étouffée, en baissant la tête afin de dissimuler son expression.

— Qu'y a-t-il, Selina? Aurais-tu honte de la façon dont tu te vends à ton public? Ne me fais pas croire que c'est inconscient! Tout est parfaitement étudié. Quand tu as commencé à enlever ton gant... ils étaient tellement excités qu'ils en avaient la respiration coupée. Chacun de ces sales types t'imaginait entièrement nue!

— Arrête! cria-t-elle.

— J'étais envoûté comme les autres, poursuivit-il lentement, ignorant l'intervention. Mais avec un avantage sur eux. Rappelle-toi... je t'ai vue, tes vêtements à tes pieds. Et ce souvenir te rendait plus désirable encore...

Selina devint écarlate et bondit sur ses pieds pour lui faire face, le regard haineux.

— Espèce de salaud! Tu as déjà oublié que Claire est morte hier? Que faisais-tu là, ce soir?

— Claire et moi, nous nous sommes quittés il y a deux ans. Ceci uniquement pour information...

— Tu ne changeras donc jamais, murmura-t-elle. Une femme pour chaque jour... ton refrain favori!

— Personne ne change... Qu'en dis-tu, Selina?

— Qui est la dernière en date? demanda-t-elle pour éviter la question qu'elle lisait dans ses yeux.

— Pour l'instant, aucune, fit-il en haussant les épaules.

— Et tu penses que je vais le croire?

— Pourquoi mentirais-je? Même si j'avais un harem, cela te serait égal, non?

— Je serais seulement navrée pour ces pauvres femmes...

Il s'éloigna un peu, comme blessé par sa réplique.

— Enlève cette robe! ordonna-t-il d'un ton crispé.

Instantanément, elle fut envahie d'une panique irraisonnée. Ses yeux s'agrandirent de terreur.

Ashley se retourna vers elle, et une expression mauvaise traversa son visage aux traits énergiques.

— Change-toi, dit-il d'un ton sans réplique. Je t'attends dehors pour te raccompagner.

— J'aimerais mieux prendre un taxi, protesta-t-elle.

— Tant pis. J'ai à te parler.

— Pas moi. Nous n'avons rien à nous dire.

— Après trois ans? demanda-t-il durement.

— Après une éternité, dit-elle à voix basse.

Il y eut un silence. Selina sentit le regard d'Ashley sur elle et leva les yeux. Elle rougit violemment puis lui tourna le dos, sous prétexte de mettre de l'ordre sur sa coiffeuse.

— Ferme la porte derrière toi, dit-elle sèchement. Je ne veux plus de visiteurs importuns.

Il ne répondit rien mais ne fit pas un geste. La bouche

sèche, elle passa nerveusement la main sur un pli de sa robe noire.

— Bonsoir! conclut-elle.

Elle sentit alors qu'il se tenait juste derrière elle. De nouveau, la terreur l'envahit. D'une main, Ashley l'attirait contre lui, de l'autre, il cherchait la fermeture à glissière.

— Non...!

Elle avait crié involontairement. La robe, défaite, commençait à glisser. Selina tenta de la retenir, mais Ashley lui tint les mains derrière le dos, et, dans un bruissement de soie, le vêtement tomba à terre.

— Cela aurait pu être fait avec plus de grâce, fit-il, cynique. En tout cas, tu es plus belle ainsi...

Leurs yeux se croisèrent dans le miroir. Il pencha la tête et posa ses lèvres sur l'épaule nue. Elle ressentit la caresse comme une brûlure au fer rouge.

— Non... murmura-t-elle en tremblant convulsivement.

Il lui lâcha les bras mais glissa ses mains autour d'elle. Elles étaient chaudes, à travers la soie du jupon. Il lui prit les seins. Sa bouche courait le long de son cou, ses yeux toujours rivés à ceux de Selina dans la glace.

— Je ne supporte pas que tu me touches! lança-t-elle sauvagement. Je ne le supporte pas!

— Vraiment, Selina?

Les lèvres pressantes la caressaient toujours. Elle était raide contre lui, la tête rejetée en arrière pour échapper à ses baisers.

— Arrête, gémit-elle en frissonnant. Je t'en supplie!

Il releva la tête. Son visage dur, viril, s'assombrit, tandis qu'il saisissait dans le miroir l'expression de dégoût des yeux verts.

— Petite garce! siffla-t-il entre ses dents. Un jour, je t'étranglerai!

Les fortes mains brunes encerclèrent sa gorge. Selina tremblait si violemment que ses dents s'entrechoquaient.

Il lâcha son cou et la prit aux épaules pour la tourner vers lui. Elle murmura une protestation lorsque la bouche cruelle et vengeresse écrasa la sienne, forçant l'ouverture de ses lèvres, exigeant sa reddition. Il lui tenait la tête entre ses doigts durs, pour qu'elle ne pût se dérober à sa passion.

Elle répondit d'abord à son baiser, inconsciemment, et laissa échapper un gémissement. Puis elle se força à la passivité, tandis que, d'ardent et cruel, son baiser se faisait tendre et presque suppliant.

Lorsqu'il la lâcha enfin, elle s'accrocha au lavabo, luttant contre une violente nausée. Ashley marcha vers la porte qu'il claqua violemment derrière lui.

En larmes, Selina tituba jusqu'au divan sur lequel elle s'écroula, épuisée par la tension nerveuse.

Cette scène s'était reproduite tant de fois pendant leur brève union! Cela avait commencé le soir même de leurs noces. La jeune femme s'était persuadée que son amour pour Ashley lui ferait oublier tout ce qu'impliquait le mariage. Elle s'était trompée. Durant leurs fiançailles, il l'avait embrassée avec fougue, et elle était parvenue à répondre à ses étreintes.

Mais lorsqu'il était entré dans sa chambre, la première nuit, au lieu de trouver une épouse passionnée et offerte, il s'était heurté à un petit animal terrorisé, affolé. Selina était prête à mordre ou à frapper à sa première tentative d'approche. Il avait été complètement désorienté. Il l'avait suppliée de tout lui expliquer. Elle avait tenté de le faire, en quelques phrases hachées. Mais elle n'était pas arrivée à lui dire toute la vérité, et il ne sut jamais ce que cachait sa hantise des rapports sexuels.

Les semaines avaient passé, et la colère d'Ashley augmentait. Il avait conseillé à sa femme de consulter un médecin, mais elle s'y était refusée. Elle ne voulait à aucun prix parler de cette barrière de glace qui s'interposait entre elle et tout homme qui l'approchait de trop près.

Soudain, Ashley avait perdu patience. Une nuit, il s'était glissé dans le lit de Selina. Il était un peu ivre, de vin comme de passion réfrénée. Elle s'était débattue. Il était parti en claquant la porte et en assurant qu'il trouverait une autre femme... A son retour, il avait découvert Selina dans le coma. Elle avait ingurgité un tube de barbituriques. Lorsqu'elle était sortie de l'hôpital, plusieurs semaines plus tard, ce fut pour s'apercevoir qu'il l'avait abandonnée.

Il vint la voir chanter un soir, Claire Leslie à son bras. C'était une ravissante blonde, visiblement folle de lui. Les attentions dont il l'entourait prouvaient pleinement qu'il était déjà son amant. Selina alla trouver son avocat le lendemain et demanda le divorce.

Le jour où il reçut les papiers concernant la séparation, Ashley débarqua chez sa femme, fou de rage. Selina tenta de refermer la porte sur lui, mais il la bloqua avec son pied et força le passage.

— Qu'est-ce que cela signifie? cria-t-il en brandissant les documents. Tu veux divorcer?... Je suppose que c'est pour toucher une grosse pension alimentaire!

— Jamais je n'accepterai un sou de toi, protesta-t-elle en rougissant violemment.

— Alors, pourquoi? Au nom du ciel, pourquoi?

Son visage avait changé, et elle reconnut avec dégoût l'expression qui envahissait ses yeux gris.

— Selina, dit-il d'une voix rauque en tendant les mains vers elle. Ne fais pas cela...

Elle s'était appuyée contre le mur, se mordant violemment les lèvres.

— Désolée, Ashley. Je n'aurais jamais dû t'épouser. C'était une erreur.

— Une erreur! s'écria-t-il d'une voix cinglante et amère. Sale petite garce frigide!

Elle avait mortellement pâli sous l'insulte, mais avait baissé la tête sans répondre.

— Si c'est à cause de Claire, reprit-il, ne t'en fais pas... Je voulais seulement te rendre jalouse.

Selina avait secoué la tête, la gorge serrée.

— Ce n'est pas Claire... avait-elle dit en soupirant. C'est moi, Ashley. Il vaut mieux mettre fin à notre union rapidement et nettement. J'ai tous les torts...

— Tu ne m'aimes pas!

Elle avait hésité un moment. Elle ne voulait pas mentir, et c'était pourtant le seul moyen de rompre le lien qui unissait leurs vies.

— Non, Ashley, avait-elle enfin répondu avec calme. Je ne t'aime pas.

— Tu m'as épousé par intérêt, ensuite tu t'es aperçu que tu ne pouvais pas me supporter! C'est ce que je dois croire? Ou bien y a-t-il autre chose? Un autre homme? Bon Dieu, Selina, il faut qu'il y ait une raison!...

Elle secoua faiblement la tête.

— Je t'en prie, va-t'en...

— Que je m'en aille? Sans explications? Sans excuses?

Sa voix trahissait une violente douleur.

— J'en suis réellement navrée. Je regrette profondément de t'avoir épousé!

— Je voudrais te tuer... avait-il dit calmement, comme s'il se parlait à lui-même. Mais pourquoi gâcherais-je ma vie pour une petite tricheuse frigide qui ne se sort même pas de ses propres mensonges?

Il était parti de chez elle et de sa vie sans ajouter un mot. Jusqu'à ce soir...

Selina resta longtemps les yeux dans le vide, torturée par ses souvenirs. Elle se redressa vivement en entendant un coup sec frappé à la porte.

— Si tu n'es pas prête dans dix minutes, j'entre de nouveau, dit la voix d'Ashley.

Elle le connaissait assez pour savoir qu'il le ferait.

Aussi se changea-t-elle rapidement. Elle prit son manteau et sortit. Ashley l'examina de la tête aux pieds, un sourire moqueur aux lèvres.

— Te voici redevenue toi-même, dit-il.

— Pourquoi ne me laisses-tu pas?

— Ma voiture est là, poursuivit-il en ignorant sa question.

Il la prit fermement par le bras. Elle ne put faire autrement que de le suivre. Ils passèrent devant le bureau de Freddy qui sortit, les sourcils levés. Celui-ci savait déjà qu'Ashley était encore en vie. Son regard était inquiet.

— Tout va bien, Princesse?

— Parfaitement, répliqua sèchement Ashley.

Il n'aimait pas Freddy, et ce dernier le lui rendait bien.

— J'aimerais qu'elle me le dise elle-même, objecta Freddy en regardant Selina. Tu as l'air d'avoir besoin d'un remontant. Viens, je t'en offre un...

Ashley serra plus fort le bras de la jeune femme.

— Allons-y, dit-il en la poussant devant lui dans le couloir.

Quelques joyeux drilles s'étaient fourvoyés dans cet endroit où ils n'avaient pas le droit d'être. Tandis que Freddy les refoulait, Ashley entraîna Selina vers la sortie.

Elle monta à contrecœur dans la longue voiture gris métallisé.

— Mon appartement... commença-t-elle.

— Je sais où tu habites, interrompit-il sèchement.

La circulation était peu dense, et le froid avait découragé la plupart des piétons. Les lampadaires se reflétaient sur la chaussée humide.

— Tu as l'air de faire une belle carrière, remarqua Ashley, les yeux fixés sur la route.

— Oui. Grâce à Tom Kegan.

Son impresario était un homme plein d'idées nouvelles, ingénieux et entreprenant. Elle avait entendu dire qu'il n'était pas étouffé de scrupules, mais il avait toujours été avec elle d'une parfaite honnêteté.

— Si tu chantes toujours comme ce soir, tu finiras tout en haut de l'échelle! murmura Ashley. J'ai cru que mon voisin allait prendre feu, quand tu as retiré tes gants. De qui est cette idée? Pas de toi, sûrement!

— De Tom.

— Pas bête! C'est de la dynamite! Le chuchotement du strip-tease...

— Ce n'est pas du strip-tease!

— Tu les trompes, en effet! Ils en attendent plus... ce qui est le but de l'opération!

Selina n'avait pas été emballée par le projet de Tom. Mais elle avait fini par céder et s'était habituée à retirer ses gants sur scène... Néanmoins, elle s'arrangeait souvent pour les oublier, échappant ainsi à cette obligation. Si seulement elle ne les avait pas eus ce soir! Elle regrettait profondément qu'Ashley eût assisté à ce spectacle.

Il arrêta la voiture devant l'immeuble de Selina. Elle mit la main sur la poignée de la portière.

— Merci de m'avoir accompagnée. Bonne nuit, Ashley.

Sans répondre, il sortit de la voiture. Elle en fit autant, et ils s'observèrent par-dessus le toit. Selina avait les yeux agrandis de crainte, le teint coloré et le cœur battant.

— Nous n'avons rien à nous dire, Ashley. Je t'en prie, ne nous disputons pas.

— Tu pourrais m'offrir une tasse de café, dit-il lentement, en la toisant de son regard glacial.

— Je suis fatiguée... répondit-elle en frissonnant.

— Tout n'a pas été dit entre nous, Selina, proféra-t-il, menaçant. Tu me croyais sorti de ta vie. Tu te trompais. Je n'abandonne jamais sans combattre!

22

— Il y a trois ans que nous avons divorcé! cria-t-elle. Je t'ai oublié! Pourquoi recommencer maintenant?

Ashley devint rouge de colère; ses narines frémissaient. Ses paroles la cinglèrent.

— Oublié?... Sale petite menteuse!

Elle traversa le trottoir mais elle entendait les longues enjambées de l'homme derrière elle. Elle atteignit la porte de son appartement avec Ashley sur les talons. Elle lui fit face, très pâle.

— Vas-tu enfin me laisser?

Un terrible affolement l'envahissait.

— Comment fais-tu pour me mettre dans cet état? dit-il d'une voix très basse, le visage ravagé par la colère et l'émotion. Tu ne me donnes rien, absolument rien. Pourtant, je ne peux m'empêcher de te désirer... Selina...

Il tendit une main presque suppliante. Selina se glissa par l'entrebâillement de la porte, mais il l'empêcha de la fermer, d'un violent coup de pied. Elle s'appuya au mur, tremblant convulsivement, les mains levées.

— Non... non... par pitié...

Ashley, immobile, la regardait fixement. Puis il poussa une exclamation de colère et tourna les talons.

Selina écouta décroître le bruit de ses pas et, machinalement, se dirigea vers sa chambre.

2

Le lendemain soir, il était à la même table. Selina l'aperçut lorsqu'elle se tourna vers le public. Sa voix s'altéra légèrement. Personne ne s'en rendit compte, sauf Ashley, dont le visage sévère fut traversé d'un sourire cynique. Selina s'obligea à poursuivre comme s'il n'était pas là. Elle y parvint et, lorsque les applaudissements éclatèrent, elle nota qu'Ashley n'y participait pas. Il était renversé dans son siège, un verre de whisky à la main, le regard menaçant.

Il parvint à se faufiler jusqu'à sa loge, mais elle avait fermé sa porte à clé.

— Ouvre-moi, Selina, sinon j'enfonce la porte!

Craignant la réaction de Freddy, elle obtempéra. En effet, les deux hommes auraient risqué de se battre. Or Ashley, beaucoup plus fort et de tempérament emporté pouvait grièvement blesser Freddy.

Il entra comme un fou et s'arrêta net devant elle.

— Qu'est-ce que tu veux, Ashley? demanda-t-elle d'un ton las.

Elle rougit sous son regard et s'assit à sa coiffeuse, pour finir de se démaquiller. Ses doigts tremblaient légèrement.

— Nous n'avons plus rien à nous dire, insista-t-elle en retirant ses faux-cils.

— Pourquoi ces artifices? demanda-t-il, les mains

enfoncées dans les poches de son pantalon. Tu es assez jolie pour pouvoir te passer de fards!

— Je t'en prie, Ashley, sors d'ici!

— Dîne avec moi ce soir, dit-il, désinvolte.

Elle ne fut pas convaincue par la légèreté de sa voix. Elle lui fit face.

— Il n'y a aucune raison, rétorqua-t-elle.

— Cela t'ennuie donc tant?

— Ça serait catastrophique!

— Pourquoi? insista-t-il, la regardant comme s'il essayait de lire ses pensées sur son visage.

— Tu le sais très bien...

— Pas du tout!

— Bien sûr que si! cria-t-elle, soudain furieuse.

L'idée la tentait. Pourtant, elle était persuadée que cela ne pourrait la mener qu'à ressentir de nouveau cette peine qui la crucifiait. Ashley leva les mains.

— Et si je jure de ne pas te toucher? Simplement un petit dîner amical. Que pourrais-tu redouter?

Intérieurement, Selina pensa que cela ne ferait qu'accroître sa passion pour lui. Mais il ne devait surtout pas s'en douter. Elle le regarda, perplexe. Elle avait envie d'accepter. Son besoin d'être avec lui était plus fort que tout; elle était trop faible pour y résister.

— D'accord, soupira-t-elle.

Un éclair de triomphe passa dans les yeux d'Ashley.

— Je t'attends dehors, dit-il avant de sortir.

Lorsque Selina quitta le club, elle le vit, appuyé à sa voiture. Sa chevelure brune était ébouriffée par le vent nocturne. Elle l'imagina brusquement disparu dans un accident d'avion et vacilla. Au moins, il était vivant... Elle pouvait tout supporter sauf sa perte définitive...

Il portait ce soir-là un costume trois pièces de couleur sombre. Par l'ouverture de la veste, on voyait la chaîne d'une montre sur son gilet. C'était l'oignon de son père, et il le portait toujours, se souvint-elle. Ashley la regardait traverser vers lui, et elle sentait la lueur possessive de ses yeux se poser sur elle. Elle rougit légèrement en approchant de la haute silhouette.

— J'ai envie d'essayer un nouveau restaurant français dont on m'a parlé, dit-il.

— Excellente idée!

Elle se voulait froide et détendue, mais la seule présence d'Ashley dominait toutes ses pensées. Soudain, il se passa la main sur le menton.

— Je suis navré, je crois bien que j'ai oublié de me raser avant de sortir...

— Je ne l'avais pas remarqué.

— Vraiment? J'aurais cru le contraire...

Il se pencha vivement et frotta son menton rugueux à la douce peau de la joue de Selina. Elle vibra sous la caresse et, pour une fois, ne bondit pas en arrière.

Sans un mot, il lui ouvrit la portière de la voiture. Peu après, ils stoppèrent devant un établissement aux volets blancs. Le patron débarrassa la jeune femme de son manteau. Ashley eut un coup d'œil appréciateur pour la robe ivoire, simple mais parfaitement coupée, de sa compagne.

— Une tout autre fille... dit-il. Mais je t'aime bien vêtue de soie noire...

— C'est un costume de scène, répliqua-t-elle très vite, les joues en feu.

— Bien sûr! Tu ne voudrais surtout pas être vue avec, en dehors du cabaret. Cela pourrrait donner aux hommes une fausse idée de toi!

Il y eut un lourd silence. Selina jouait avec les couverts. Elle repoussa son verre.

— Pardonne-moi... Je te promets de ne plus te parler ainsi.

Ils s'absorbèrent dans la lecture de la carte. Selina soupira.

— Qu'y a-t-il? s'enquit Ashley.

— Il faut que je fasse attention à ce que je mange, sinon je vais prendre du poids... dit-elle en souriant.

— Je te trouve plutôt trop mince!

— C'est parce que je me surveille!

Elle demanda un melon, une grillade et une salade verte. Ashley sourit et dit au maître d'hôtel :

— La même chose pour moi. Peut-être ferais-je bien, moi aussi, de me mettre au régime...

Après avoir commandé le vin, il dégusta l'apéritif qu'ils avaient choisi, sans cesser de dévisager Selina. Nerveusement, elle prit son verre. Elle se passait le bout de la langue sur les lèvres, gênée par l'insistance de son regard. Le premier plat arriva enfin, la délivrant de cette inquisition.

Le repas était simple, mais délicieux et fort bien présenté. Le vin était savoureux, et Ashley ne manqua pas de remplir le verre de Selina chaque fois qu'il était vide. Peu habituée à l'alcool, la jeune femme sentait les couleurs lui monter aux joues, et son attitude était plus détendue.

Ashley eut soin de maintenir la conversation sur un terrain neutre. Le ton était léger, et Selina se surprit à rire de bon cœur à certaines de ses anecdotes.

On leur apporta le café. Elle mit de la crème et trois sucres dans celui de son compagnon.

— Tu as bonne mémoire, dit-il doucement. Je me rappelle que tu le prends noir et sans sucre, toi...

Selina se sentit rougir.

— Comment marchent tes affaires?

— Je n'ai pas à me plaindre...

— Combien possèdes-tu d'hôtels, à présent?

— Mes collaborateurs pourraient te répondre... fit-il sèchement.

Selina sirota son café. Un homme passa près d'eux, s'arrêta et la regarda, avant de s'écrier, cordial :

— Bonsoir, Selina! Comment vas-tu?

Elle leva les yeux, étonnée, et son visage s'adoucit en reconnaissant un pianiste qui l'avait souvent accompagnée.

— Don! Que deviens-tu?

— Tout marche bien! répondit-il joyeusement. Mais tu me manques!

— Toi aussi! affirma-t-elle.

Elle n'avait pas besoin de regarder Ashley pour deviner ses réactions. Elle sentait de toutes ses fibres la colère silencieuse qui montait en lui. Il avait toujours été jaloux, exclusif. Don jeta un coup d'œil à Ashley et reçut en retour un regard froid et inquiétant.

— Eh bien... euh... content de t'avoir rencontrée, Selina, dit-il avant de s'éloigner rapidement.

Ashley n'avait pas bougé, mais son visage était empourpré de rage.

— Qui était-ce? demanda-t-il avec un visible effort pour se contrôler.

— Un de mes amis.

— Je m'en doute! aboya-t-il.

— Il m'accompagnait au piano, ajouta-t-elle calmement.

— Pourquoi ne le fait-il plus?

Selina baissa les yeux et haussa les épaules.

— Laisse-moi deviner... Il avait un faible pour toi, mais tu lui as dit « bas les pattes »!

Ce n'était pas loin de la vérité. Encore que Don eût toujours été très correct à son égard. Il avait une ou deux fois tenté sa chance, puis était sorti de sa vie.

Ashley régla l'addition, et ils quittèrent le restaurant.

Une fois dans la voiture, Selina réalisa que la paix fragile qu'ils étaient parvenus à établir entre eux avait été détruite par l'intervention de Don. Ashley démarra, les yeux fixés sur la route. La jeune femme était profondément consciente de la présence physique de son compagnon. La cuisse musclée, si proche de la sienne, les mains énergiques l'émouvaient...

Il arrêta sa voiture devant l'immeuble de Selina et s'appuya au volant, le menton posé sur les mains, il la regardait de côté.

— Merci pour cette soirée, dit-il froidement.

— Mon Dieu! s'écria-t-elle pour masquer sa nervosité, il est plus de minuit!

— Et que se passe-t-il, à minuit? Tu te changes en citrouille?

— Habituellement, je me couche! répondit-elle d'un ton qu'elle voulait léger.

— Et toujours seule... ajouta-t-il avec cynisme.

— Tu préférerais le connaître?

— Nous savons tous les deux que c'est une question inutile! L'homme qui arrivera à te mettre dans son lit n'est pas encore né...

Il y eut un silence, puis :

— Je me trompe? poursuivit-il d'une voix soudain mal assurée.

Selina ouvrit la portière.

— Bonne nuit, Ashley.

A son grand soulagement, Ashley n'essaya pas de la suivre. Elle entendit la voiture démarrer dans un hurlement de pneus.

Il téléphona le lendemain matin pour lui demander de déjeuner avec lui, mais elle trouva une excuse pour décliner poliment son invitation. Il ne fallait pas que cela devînt une habitude.

— Soupons ensemble, alors? proposa-t-il d'une voix sèche.

— Désolée... soupira-t-elle.

— Déjeuner demain?

— Ashley, je...

— Ou dîner? Ou déjeuner le jour suivant? Dis-moi où et quand, Selina. Ou alors, déclare-moi carrément que tu ne veux plus me voir...

Elle respira longuement.

— Je ne veux plus te voir...

Le son du récepteur violemment raccroché lui fit mal aux oreilles. Elle reposa lentement l'appareil et retourna à ses travaux ménagers. Il lui fallait absolument s'occuper pour tenir le coup.

Pendant plusieurs jours, elle n'eut plus aucune nouvelle d'Ashley et crut qu'il avait renoncé. D'ailleurs, elle ne savait pas très bien pourquoi il avait voulu la revoir. Il la désirait, c'était certain. Mais elle ignorait s'il l'aimait encore. Elle le soupçonnait même parfois d'avoir la vengeance pour seul but. Il voulait seulement la faire souffrir comme il avait souffert à cause d'elle. Elle savait par expérience que l'amour et la haine ne sont pas incompatibles. Par moments, elle haïssait Ashley; à d'autres, elle s'avouait qu'elle l'aimait encore. Peut-être en allait-il de même pour lui?

Un matin, elle reçut la visite de Roger. Elle avait été surprise du soulagement qu'il avait éprouvé lorsque, quelques jours plus tôt, elle lui avait annoncé qu'Ashley n'était pas à bord de l'avion accidenté.

En lui ouvrant la porte, ce jour-là, Selina trouva son frère très pâle. C'était un garçon au visage fin, aux traits un peu incertains. Ses yeux vifs étaient plus bleus que verts, et sa bouche douce, voire un peu molle. Il était toujours parfaitement vêtu.

— Alors, est-ce qu'Ashley s'est bien amusé, en lisant le récit de sa propre mort? demanda-t-il avec un sourire frivole.

Il s'assit et se versa une tasse de café.

— Il ne me l'a pas dit, murmura-t-elle. As-tu déjeuné? Veux-tu des toasts?

— Volontiers, merci, dit-il en se beurrant une tartine... A-t-il changé?

Selina n'avait aucune envie de parler de son ex-mari, mais Roger avait l'air tout à fait déterminé.

— Pas du tout! affirma-t-elle. Pourquoi es-tu venu me voir, Roger? Tu devrais être au bureau! Une dette de jeu? Besoin d'argent? Dis-moi la vérité. C'est grave?

— Très grave... Selina, tu te doutes bien que je ne viendrais pas te taper si je n'étais pas désespéré!

— Je te croyais guéri... Tu m'avais dit que tu avais cessé de jouer... Pourquoi as-tu recommencé?

— Tu ne peux pas savoir ce que c'est! fit-il avec une certaine irritation. Je ne me suis pas approché d'une table de jeu pendant des semaines. Puis un soir, j'ai reçu un client. Il a insisté pour aller dans un club, et j'ai dû jouer pour lui tenir compagnie. Il a perdu. Moi, je ne le supporte pas, alors j'ai continué, et...

— C'est ce que tu fais toujours... fit amèrement remarquer Selina.

Roger prit un air maussade. Il avait horreur d'être critiqué. Il avait l'orgueil obstiné des faibles lorsqu'ils sentent qu'ils tombent, tombent... et que rien ne pourra rattraper leur folie.

— Si tu m'aides encore cette fois, je te jure... commença-t-il.

— Oh, Roger! soupira sa sœur, pleine de pitié et de tristesse. Pourquoi ne t'adresses-tu pas à une de ces sociétés qui aident les joueurs à se débarrasser de leur vice? Ils comprennent les problèmes...

— Je ne suis pas malade! cria Roger, furieux. Ni fou! Je peux m'arrêter quand je veux. Je l'ai déjà fait! Mais en ce moment, j'ai une période de chance. On ne peut pas perdre toujours...

— C'est pourtant ce qui t'arrive!

Il se leva, furieux. Mais il ne partit pas car il n'avait personne d'autre vers qui se tourner. Il se rassit et enfouit son visage dans ses mains.

— Il me faut cet argent! murmura-t-il d'une voix tremblante. Sinon, je suis fichu!

— Combien te faut-il? demanda Selina désespérée.

Elle avait mis de côté une petite somme, dans l'espoir d'une tournée aux Etats-Unis. Elle était prête à s'en défaire pour son frère. Celui-ci hésitait. Elle le regardait avec une anxiété grandissante.

— Dix millions, dit-il enfin.

Elle devint extrêmement pâle.

— Dix millions? Mais je croyais que l'on n'avait pas le droit de jouer des sommes pareilles!

— Je... je l'ai empruntée à mon entreprise...

— Mon Dieu... gémit-elle.

— J'ai cru que j'allais gagner... Il faut que je paye avant demain, sinon...

— Tu es fou! Comment pourrais-je trouver une telle fortune?

Roger avait de nouveau enfoui son visage dans ses mains.

— Si je n'ai pas payé avant demain minuit, ils me tueront, dit-il fiévreusement.

— Va trouver la police. Parle-leur de cette menace...

— La police? ricana-t-il. Tu veux que je finisse dans la Tamise?

— Mais pourquoi n'arrêtes-tu pas de jouer? Je n'arrive pas à comprendre...

— Il faut que tu m'aides, supplia-t-il en lui prenant les mains. Tu ne peux pas les laisser faire...

— Mais comment?

— Ashley... souffla-t-il.

— Non! C'est impossible! cria-t-elle en se levant d'un bond. Je refuse...

— C'est ma seule chance, insista Roger.

Selina le regarda avec un involontaire mépris.

— Si je demande l'argent à Ashley, il me possédera...

— Ma petite sœur, je t'en supplie... Je ne veux pas qu'ils me rossent comme la dernière fois...

Le visage de la jeune femme s'adoucit soudain. Elle n'avait plus devant les yeux un jeune homme élégant, mais un tout petit garçon tremblant, couvert de bleus, le regard fou de terreur. Elle revit sa mère moribonde qui suppliait faiblement : « Prends soin de Roger... Promets-moi... »

Elle s'approcha de son frère et déposa un baiser sur ses cheveux.

— D'accord. Je demanderai à Ashley

Le soulagement se lisait sur son visage lorsqu'il quitta Selina pour se rendre à son travail.

La mort dans l'âme, la jeune femme composa le numéro de téléphone du bureau d'Ashley. La secrétaire lui répondit froidement que M. Dent était en conférence.

— Voulez-vous lui dire que Selina aimerait lui parler? demanda-t-elle calmement.

Peu après, la voix d'Ashley, sèche, se fit entendre.

— Qu'y a-t-il, Selina?

— Je... il faudrait que je te voie.

Il y eut un bref silence, puis :

— Quand?

— Dès que possible, parvint-elle à articuler. Et où tu veux.

— Alors, tout de suite, à mon bureau! dit-il avant de raccrocher.

Ashley devait se douter de la raison pour laquelle Selina désirait le voir. Il connaissait Roger et sa faiblesse...

Devant l'immeuble, Selina hésita un instant. Puis, prenant son courage à deux mains, elle franchit la porte vitrée.

La secrétaire l'introduisit dans le bureau. C'était une vaste pièce éclairée par des baies sur tout un côté. Ashley était assis dans un fauteuil de cuir clair. Il était plutôt impressionnant, avec son costume sombre et sa chemise immaculée. Il regarda Selina se diriger vers lui, la détaillant de la tête aux pieds. Puis il lui désigna un fauteuil, et elle s'assit, la gorge serrée. Tous les mots qu'elle avait préparés étaient oubliés, et elle restait sans voix.

— Alors? demanda Ashley en se renversant dans son siège.

Elle était assise bien droite, ignorant que la peur se lisait dans ses grands yeux verts. Craignant de perdre tout courage, elle alla droit au but.

— J'ai besoin de dix millions. Peux-tu me les prêter?

Il plissa les yeux et siffla doucement entre ses dents. Il jouait machinalement avec un stylo en or.

— C'est une somme! Offres-tu des garanties?

— Non. Mais je te jure de te rembourser avec intérêts... Je gagne pas mal d'argent, maintenant. Dans un an ou deux, je te l'aurai rendue.

— C'est pour Roger? demanda-t-il lentement. Il recommence à jouer...

— Ne le critique pas, lança-t-elle, sentant la colère l'envahir. C'est en partie avec des garçons comme lui que tu fais fortune!

— Ne me jette pas la pierre... Nous avons tous les deux une façon pas très brillante de gagner notre vie... Je possède des casinos et des salles de jeu. Toi, tu vends ton corps!

Selina rougit violemment. Ses yeux lançaient des éclairs.

— Sale type! Je ne fais rien de semblable! Je suis chanteuse.

— Tu crois vraiment que ta voix y est pour quelque chose? C'est ton corps sensuel qui attire les clients! Les pauvres diables! Ils attendent de toi beaucoup plus que ta frigidité ne peut leur offrir...

— Ne t'inquiète pas pour l'argent! s'écria Selina en se levant brusquement. J'irai chercher ailleurs!

— Où? demanda-t-il cyniquement.

— Je trouverai bien quelqu'un pour m'aider...

— Je n'ai pas refusé... Mais il me faut une garantie...

Elle s'arrêta, désespérée, n'ayant personne d'autre vers qui se tourner.

— Je t'ai dit que je ne pouvais pas t'en donner, répéta-t-elle.

Il promenait sur elle un regard insolent qui lui coupa le souffle.

— Non... souffla-t-elle. Non! Tu... tu es un vrai salaud...

Ashley haussa les épaules.

— C'est à prendre ou à laisser. Je dirais volontiers que Roger ne mérite pas le sacrifice mais, connaissant ton amour pour ce petit minable, je pense que tu réfléchiras à ma proposition.

Elle aurait dû partir sans se retourner, mais le souvenir de l'angoisse dans les yeux de son frère la maintint clouée au sol. Elle murmura :

— Quelle est cette proposition?

— Je te donne l'argent. En échange, tu me reviens.

— Tu veux que nous nous mariions de nouveau?

Elle leva les yeux sur lui. Son visage était impénétrable.

— Pas exactement.

— Je... je vois.

— Certainement! fit-il sèchement.

— Et tu crois que je vais accepter cette offre infamante?

— A toi de décider, prononça-t-il avec indifférence.

Selina dut réprimer une envie de hurler.

— Je voudrais que tu sois mort... siffla-t-elle entre ses dents.

— J'en suis sûr!

Elle pivota sur ses talons, et sortit du bureau en claquant la porte.

Roger l'attendait à son appartement.

— Alors?

Selina se mordit la lèvre, les larmes aux yeux.

— Roger, je...

— Il a refusé?... Tu as dû mal t'y prendre, tu n'as pas été assez gentille. Sinon, il t'aurait donné l'argent, je le sais! Il a toujours été fou de toi. Tu pouvais le mener par le bout du nez!

— Ecoute, il m'a proposé la somme, mais...

— Il l'a fait! s'écria-t-il. Merci, mon Dieu!

— Je n'ai pas accepté, interrompit-elle. Ses... ses conditions étaient impossibles.

— Mais qu'est-ce que cela peut faire! Je serais prêt à tout pour obtenir ces millions!

— Même coucher avec quelqu'un dont tu hais le contact?

Roger poussa un grognement désespéré, et des larmes coulèrent sur son visage.

— Ma petite sœur... je suis désolé. Je suis une brute. Je sais ce que cela représente pour toi...

Ils se serrèrent dans les bras l'un de l'autre, et restèrent longtemps ainsi, pleurant amèrement.

— La vie est moche, non? dit enfin Roger. Que nous a-t-elle apporté? Notre enfance a été pervertie par ce...

— Je ne veux même pas l'entendre évoquer, gémit-elle en lui fermant la bouche de sa main.

— As-tu déjà dit à Ashley que tu ne supportais pas que l'on te touche? demanda-t-il en la berçant contre lui.

Elle secoua la tête.

— Tu devrais. Il comprendrait...

— Non, je ne veux pas qu'il sache. Je ne supporte pas cette idée, dit-elle en reniflant comme une petite fille. Roger, si tu t'enfuyais... Tu pourrais partir en Amérique?

— Ils me trouveraient tôt ou tard. Et puis il faut du temps pour obtenir un visa.

— Cache-toi à la campagne, en attendant.

Il la regarda tristement.

— Ils s'en prendraient à toi, petite sœur. Ils m'ont déjà menacé de te vitrioler, si je disparaissais.

Ils se regardèrent en silence. Soudain, Roger sursauta violemment et fixa la porte d'un regard terrifié : on avait frappé.

Selina alla ouvrir. Deux hommes se tenaient sur le seuil, larges, forts, inquiétants. L'un d'eux examina la jeune femme.

— Jolie fille, dit-il à son acolyte. Ce serait dommage de la défigurer, non?

— Nous voulons notre argent, Monsieur West, dit l'autre en souriant. Ce soir.

Roger s'appuya au mur, tremblant de tous ses membres, pâle comme la mort.

— Vous l'aurez! affirma Selina d'un ton péremptoire.

— Quand?

— Pouvez-vous attendre que je passe un coup de fil? A son grand soulagement, Ashley répondit lui-même.

— C'est Selina.

— Oui?

— Je... j'accepte ton offre.

Il y eut un long silence, durant lequel Selina se sentait devenir glacée.

— C'est parfait. Tu peux passer prendre l'argent.

Elle reposa le récepteur et se tourna vers les deux hommes qui attendaient, impassibles.

— Vous aurez votre chèque tout à l'heure.

— Nous ne voulons pas de chèque, ma petite dame.

— Même pas de M. Dent? demanda-t-elle, méprisante.

— Ashley Dent?

Ils se regardèrent, et l'un d'entre eux siffla entre ses dents.

— Vous êtes une amie de M. Dent?

— Ma sœur est sa femme! dit Roger pour les impressionner.

A ces mots, ils reculèrent d'un pas.

— Nous ne le savions pas.

— Vous aurez le chèque ce soir, dit Selina avec lassitude, en refermant la porte.

Roger, sans un mot, lui tendit les bras. Elle vint s'y réfugier en frissonnant.

— Désolé, ma chérie... Je verrai un médecin, je te donne ma parole d'honneur, je vais cesser de jouer. Ne tremble pas! Je t'en supplie...

— Il faut que j'y aille! dit-elle en se redressant.

Dans le taxi, elle s'exhorta au calme. Mais elle avait les nerfs à fleur de peau et dut serrer bien fort ses mains l'une contre l'autre pour les empêcher de trembler.

La secrétaire n'était pas là, et Selina hésitait à entrer lorsque la porte s'ouvrit. Les yeux gris d'Ashley étaient impénétrables.

— Allons par ici, dit-il avec un geste de la main. Il y a une pièce dans laquelle nous ne serons pas dérangés.

Elle le suivit à contrecœur et s'arrêta, paniquée, en s'apercevant qu'il s'agissait d'un appartement.

Sans s'occuper d'elle, Ashley se dirigea vers le bar. Il sortit des verres et versa deux whisky-soda. Selina était appuyée contre la porte, le souffle court. Elle tenait la poignée dans sa main.

Il lui tendit un verre. Son sourire reflétait une ironie mordante.

— Tiens, cela te fera du bien. Mais ne reste pas plantée là...

Selina lui jeta un regard haineux. Elle prit le verre et but avec une grimace. Elle détestait ce goût mais elle avait besoin d'un remontant.

Ayant repris un peu de courage, elle risqua un coup d'œil autour d'elle. Il n'était pas difficile d'imaginer quelle sorte d'invités Ashley amenait ici... La pièce était luxueusement décorée en brun et beige. Une épaisse moquette recouvrait le sol. Un vaste sofa était tapissé de soie. Quelques lampes aux abat-jour marron dispensaient une lumière douce. Une chaîne stéréophonique occupait la moitié d'un mur.

— Enlève ton manteau, proposa Ashley.

— Je... je ne reste pas.

— Enlève-le! commanda-t-il.

Selina rougit mais elle obéit. Elle n'avait pas le choix. Elle avait accepté le marché.

— Je... j'ai promis de rapporter le chèque tout de suite, tenta-t-elle timidement.

— Pas avant que j'aie vu la garantie de près...

— Maintenant? demanda-t-elle faiblement, les yeux agrandis de terreur.

Il termina son whisky et s'approcha d'elle.

— Sur le divan, aboya-t-il.

— Pourquoi es-tu si brutal? balbutia-t-elle en reculant d'un pas.

— Dix millions, c'est une somme, ma chère! Tu es un jouet hors de prix! J'espère que tu seras à la hauteur!

— Tu devrais le savoir, rétorqua-t-elle amèrement.

Il eut un sourire cruel.

— Mais j'espère bien que tu as fait des progrès, depuis notre dernière rencontre. Il arrive que la glace fonde... En trois ans, tu as pu acquérir de l'expérience. Il a bien dû y avoir des hommes dans ta vie...

Selina baissa les yeux. Ses longs cils faisaient une ombre sur ses joues.

— Bien sûr...

— Sale petite menteuse! s'écria-t-il en éclatant d'un rire féroce. Je t'ai fait surveiller vingt-quatre heures sur vingt-quatre, durant ces années. Le seul homme dans ta vie est Roger.

Incrédule, Selina le regardait.

— Tu es fou!

Il enfonça ses mains dans ses poches et s'éloigna d'elle. Il lança par-dessus son épaule :

— J'en ai les moyens. Et j'étais curieux de savoir ce que tu faisais.

— Qu'espérais-tu découvrir?

— Comment tu es devenue ce que tu es, dit-il lentement, le dos toujours tourné. Pourquoi tu es frigide. Il suffit que tu traverses une pièce pour que chaque homme se prenne à rêver de toi. Tu es belle, attirante, mais dès que l'on t'approche, tu deviens de marbre. Tu es un vrai casse-tête chinois. J'en cherchais la clé.

— Et l'as-tu trouvée?

— Elle avait parlé d'un ton léger, mais l'angoisse

s'emparait d'elle. Qu'avait-il découvert?... Il se retourna, les yeux mi-clos.

— Tu sais bien que non... Quel est ton secret, Selina? Tu peux me faire confiance... Dis-moi tout.

— Il n'y a rien à raconter.

— Alors, revenons quelques années en arrière. Pourquoi m'as-tu épousé?

— Je t'en supplie... Ne recommençons pas. Cela fait trop mal.

Ashley jura entre ses dents mais ne fit pas un geste. Après un bref silence, il dit lentement :

— Veux-tu me répondre franchement?

— Si je peux...

— As-tu horreur du sexe en général, ou seulement de moi?

Selina ne put retenir une exclamation de surprise. Sans réfléchir aux conséquences, elle répondit vivement :

— Ce... ce n'est pas toi personnellement.

Il vint vers elle et, de ses doigts fermes, il l'obligea à lever le visage et à le regarder dans les yeux.

— Quels sont tes sentiments réels pour moi, Selina?

Elle passa nerveusement le bout de sa langue sur ses lèvres.

— Réponds! ordonna-t-il brièvement.

— Tu sais... tu me fais peur... dit-elle en baissant les paupières, incapable de soutenir plus longtemps l'éclat de ses yeux.

— Pourquoi?

— Je t'en supplie...

Elle échappa à son étreinte. Comme si ce geste déclenchait la colère qu'il tentait de dominer, il la saisit violemment aux épaules. Son regard n'était plus indéchiffrable. Selina ne reconnut que trop les émotions qui l'habitaient. Elle se mit à trembler.

— C'est ainsi que tu respectes ton marché? s'écria

sauvagement Ashley. Rappelle-toi que tu n'as pas encore le chèque, ma petite fille!

Elle restait immobile et désespérée. Un sourire sardonique détendit les lèvres de l'homme.

— C'est mieux.

Il l'approcha plus étroitement. Involontairement, elle s'appuya à lui pour ne pas tomber. Une sorte de décharge électrique la parcourut lorsqu'elle sentit sous ses paumes sa poitrine chaude et musclée. La tiédeur de son corps l'envahit peu à peu, et des ondes de douceur la parcoururent. De minuscules gouttes de sueur perlaient aux tempes de la jeune femme. La gorge sèche, elle tenta de se dégager mais elle était prise dans l'étau de ses mains.

Il l'observait intensément. Elle avait conscience de son regard sur elle mais ne s'en souciait pas. Elle ne pensait qu'à lutter contre le désir qui montait en elle. Elle brûlait de l'intérieur. Elle avait une envie dévorante de le toucher, de s'abandonner aux exigences de ses sens.

C'était encore pire, pensait-elle. Pire que trois ans auparavant. L'absence avait avivé la flamme de sa passion pour lui.

Elle leva les yeux sur lui en frissonnant. Ils se regardèrent longuement.

— Nous nous marierons la semaine prochaine, dit-il enfin.

Elle le regarda, stupéfaite.

— Mais... tu avais dit...

— Je voulais savoir jusqu'où tu pouvais aller pour l'amour de ton lâche de frère, répliqua-t-il avec fureur.

— Mais ma carrière, mes contrats...

— C'est fini! Mes hommes de loi s'en occuperont.

Elle était affolée. Elle s'était préparée à l'humiliation mais elle n'avait jamais pensé qu'il pourrait vouloir prendre sa vie entière...

— Et puis, ne discute pas, ajouta-t-il. Tu peux encore

annuler le marché, mais décide-toi vite. Ou bien tu as l'argent et tu es à moi, ou bien rien du tout.

— Ce n'est pas ce que tu avais suggéré... Je pensais...

— Je sais ce que tu pensais! dit-il avec un rictus.

Il pencha soudain la tête, et, avant qu'elle n'eût pu faire un geste, les lèvres dures et cruelles écrasaient violemment les siennes. Elle se débattit. Il recula et la regarda insolemment.

— Voilà ce que tu étais venue m'offrir... C'est très tentant, mais j'en veux plus, pour mes dix millions. Une liaison ne suffit pas. Je ne me contenterai pas de passer quelques nuits avec toi. Il faut que tu sois entièrement à moi. Compris?

Selina baissa la tête et soupira.

— Compris.

3

Une semaine plus tard, à bord de l'avion qui les emmenait aux Bahamas, Selina essayait de réaliser qu'elle était pour la seconde fois Mme Ashley Dent. Une partie d'elle-même refusait d'y croire. Son premier mariage avec cet homme avait représenté six mois de tortures insupportables. Il fallait être folle pour recommencer! Lorsqu'Ashley lui avait passé l'alliance au doigt, elle avait été prise d'une indicible terreur, à laquelle s'ajoutait du dégoût. Son mari avait senti sa réaction mais s'était contenté de déposer sur ses lèvres un baiser si doux, si tendre qu'elle l'avait supporté sans broncher. Puis Roger l'avait serrée dans ses bras, rayonnant. Toujours optimiste, il était arrivé à se persuader que, finalement, sa sœur se remariait par amour, et non par obligation.

Selina s'inquiétait un peu pour lui. Elle savait qu'Ashley ne l'aiderait plus, s'il recommençait à se montrer imprudent. Elle soupira et tourna la tête vers le hublot.

Ils étaient au-dessus des nuages. On se serait cru dans un rêve. L'avion semblait immobile, suspendu au milieu du ciel bleu.

Une hôtesse s'approcha d'eux, et demanda aimablement :

— Désirez-vous quelque chose, Monsieur Dent?

— Ma femme prendra volontiers du café, merci. Et moi, un whisky.

— Très bien, Monsieur, fit la jeune fille en souriant.

Elle admirait visiblement Ashley, impeccable dans son costume léger et sa chemise de soie à col ouvert. Sa gorge bronzée suggérait une virilité qui attirait le regard.

Selina, nerveuse, regardait ses mains. Elle n'avait pas échangé un mot avec son mari depuis le décollage.

— Tu es sûre que tu ne veux rien à lire? demanda Ashley en désignant une pile de magazines.

Elle passa le bout de sa langue sur ses lèvres sèches. Il l'observait.

— Inquiète?

Elle hocha la tête, risquant un coup d'œil vers lui.

— Au sujet du vol?... Ou pour après?

Son regard était méprisant, et elle rougit de façon révélatrice. Il lui prit doucement la main.

— Je t'ai dit que je n'étais pas pressé, Selina. Détends-toi. Au bout du voyage ne t'attends à rien d'inquiétant... seulement une villa paisible sur une plage, des journées de repos et des nuits calmes...

Elle se tourna vers lui, les yeux agrandis. Pensait-il vraiment ce qu'il disait? Ou essayait-il d'instaurer un climat de confiance autour d'elle? Depuis l'horrible jour où il lui avait remis le chèque, elle l'avait à peine vu. Ses hommes de loi avaient aplani toutes les difficultés que créait son mariage. Elle avait terminé son tour de chant chez Freddy. Roger, complètement euphorique, avait juré de ne plus jamais s'adonner au jeu. Selina avait entendu ce serment trop souvent pour y croire... Un soir, Ashley et Roger s'étaient vus, mais elle ignorait ce qu'ils avaient bien pu se dire.

L'hôtesse revint avec leurs consommations.

— Bois ton café, cela te fera du bien, commanda Ashley.

— A t'entendre, on dirait que j'ai les nerfs fragiles...

— C'est vrai, d'une certaine manière, dit-il en haussant les épaules.

Elle se mordit la lèvre et demanda au bout d'un moment :

— De quoi voulais-tu parler à Roger, l'autre soir ?

— De son existence. Plus de jeu. Je connais la plupart des propriétaires de maisons de jeu à Londres et j'ai demandé qu'il en soit exclu.

— Merci, soupira Selina. Je suis vraiment soulagée. Dommage que ça ne se soit pas passé trois ans plus tôt...

— Ce n'était plus mon problème, à partir de notre divorce. Que m'importait la vie de Roger ?

— Il est faible. Le jeu est une maladie. Il a besoin d'aide.

— Je connais des adresses pour cela. S'il y va, il sera soutenu et s'en sortira.

— Et s'il n'y va pas ?

— Ecoute, Selina, tu ne peux pas agir pour ton frère. S'il refuse de se faire soigner, on ne peut rien pour lui. Il est maître de son destin. Je lui ai fait fermer quelques portes, mais il y a d'autres endroits, moins... fréquentables, où il peut jouer.

— Je le sais bien... fit-elle misérablement.

— T'a-t-il dit qu'il avait détourné des fonds de son entreprise ? S'il l'a fait une fois, il peut recommencer. Et je ne l'aiderai plus. Ce serait lui rendre un mauvais service. Un jour ou l'autre, il faudra bien qu'il affronte la vie tout seul. Tu l'as toujours protégé. A présent, il faut le laisser se débrouiller, sinon il ne deviendra jamais un homme digne de ce nom...

Selina examina les pommettes saillantes de son mari, son regard assuré, ses mâchoires énergiques.

— C'est facile, pour toi. Tu es fort. Pas Roger...

— Je n'ai jamais eu de sœur prête à vendre son corps pour me tirer d'embarras, dit-il, cynique.

Elle rougit violemment et détourna les yeux. Il lui prit la main et la porta à ses lèvres.

— C'est ce que tu as fait, Selina, dit-il doucement. Tu

t'es livrée à moi corps et âme... Allons, essaye de dormir un peu, à présent.

Il reposa gentiment sa main. Elle ferma les yeux, et s'efforça de se détendre. Peu à peu, ses pensées cessèrent de tourner en rond dans sa tête, et elle s'endormit.

La villa était située juste à l'extérieur d'une petite ville, sur la côte. Elle était entourée de jardins luxuriants et bien entretenus. Une porte à claire-voie ouvrait sur le chemin de la petite plage privée, à l'abri des regards. La ville était dominée par une montagne boisée. Les vagues chuchotaient doucement sur le sable blond. Dans les arbres du jardin, de petits oiseaux aux couleurs vives voletaient et chantaient.

Selina écoutait ces sons mêlés, assise sur la terrasse, un verre givré à la main. C'était leur deuxième journée à la villa. Elle s'était sentie terriblement nerveuse pendant le dîner qu'ils avaient pris dans la grande salle à manger carrelée. Mais Ashley, sitôt le repas terminé, l'avait envoyée au lit, et elle avait passé une nuit paisible.

Avait-il dit vrai? N'avait-il pas l'intention de lui faire l'amour? Mais, dans ce cas, pourquoi l'épouser? Elle ne se sentait pas le courage de poursuivre ce jeu du chat et de la souris. Tôt ou tard, il demanderait son dû. Et cette idée la rendait malade...

Elle se raidit en entendant un bruit de pas. Son mari la regardait.

— Cela te plaît? demanda-t-il d'un ton anodin.

— C'est plutôt agréable...

— Ne sois pas trop enthousiaste, surtout! plaisanta-t-il.

— Je n'ai pas encore tout vu, protesta-t-elle. Si nous allions en ville, cet après-midi?

Il secoua la tête. Selina fronça les sourcils.

— Qu'allons-nous faire, alors?

— Paresser ici, dans la maison, sur la pelouse ou sur la plage... J'ai eu énormément de travail, ces derniers temps. J'ai besoin de repos total. Toi aussi, d'ailleurs. Je te trouve excessivement nerveuse. Profitons du soleil, et oublions le reste du monde...

— Je n'ai pas grand-chose comme tenue de plage, dit-elle en mordillant sa lèvre inférieure.

— Tu n'as besoin que d'un bikini, fit-il sèchement. Ne me dis pas que tu as oublié d'en prendre un... Va donc te changer.

— Je n'ai pas fini mon verre...

— Alors, tu te changeras plus tard... dit-il légèrement en venant s'asseoir tout près d'elle.

Elle se leva d'un bond.

— Cela ne fait rien. Je boirai plus tard...

— Tu te sauves déjà, Selina? demanda-t-il, ironique.

— Tu m'as dit d'aller me changer! rétorqua-t-elle, le cœur battant.

Il sourit, et le charme nonchalant de son regard la fit rougir. Elle entra dans la maison.

Sa chambre était vaste et fraîche. Des arbres caressaient les hautes fenêtres. Le soir, on fermait les volets blancs pour empêcher les insectes de pénétrer.

Selina trouva son bikini et, avec un soupir, l'enfila. Elle se regarda dans le miroir. Plusieurs séances de lampe à bronzer lui avaient donné une peau dorée qui contrastait avec la blancheur de son maillot. Elle était habituée à cette tenue et pourtant, elle savait qu'il lui serait très difficile d'affronter le regard d'Ashley. Elle se sentait quasiment nue. Pourquoi donc la faisait-il trembler ainsi?

Elle se souvint soudain qu'elle possédait un peignoir en éponge, et le passa à la hâte. Il était court, et laissait ses longues cuisses brunes découvertes. Mais cela lui donna le courage de sortir sur la terrasse.

Le verre vide d'Ashley était posé sur la table à côté du sien. Mais lui n'était plus là.

Elle finissait son citron pressé lorsque son mari la rejoignit. Il était en maillot de bain et portait sur un bras une vaste serviette.

— Nous allons à la plage? demanda Selina en détournant les yeux du corps viril et musclé.

Il l'aida à se lever, et elle le suivit sans poser de questions.

Les bougainvillées s'épanouissaient dans un éclatement de couleurs. La pourpre, l'écarlate, l'orange se mêlaient. Les longues étamines recourbées étaient alourdies de pollen. Les pétales et les feuilles se gorgeaient de soleil.

Une fontaine chantait dans le patio. Les gouttes de cristal s'irisaient dans la lumière, formant un arc-en-ciel.

La vigne grimpante, d'un vert sombre, s'enroulait autour des palmiers dont l'ombre fraîche abritait des fougères. Les fleurs exotiques étaient étonnantes de variété et de luxuriance. Les fleurs d'hibiscus et de cassiers gardaient encore en leur cœur une goutte de la rosée matinale, semblable à une pierre précieuse.

Ils passèrent la petite porte. Ashley déploya sa serviette sur le sable.

— Elle est assez grande pour deux, dit-il. A moins que tu ne préfères t'isoler?

Elle hésita, redoutant de se trouver près de lui.

— Cela m'est égal, dit-elle à haute voix.

— Menteuse! sourit-il.

Il s'étendit sur la serviette, chaussa ses lunettes de soleil, et croisa les bras derrière sa nuque.

Selina s'assit le plus loin possible de lui.

— Enlève ce fichu peignoir! ordonna-t-il.

Elle tremblait en dénouant la ceinture. Elle était incapable de savoir s'il la regardait ou non. Le soleil violent transformait ses verres en miroirs qui lançaient des éclairs.

Elle s'allongea tout au bord du drap de bain.

Soudain, il fit un geste. Elle sursauta. Il lui tendait la bouteille de crème solaire.

— Veux-tu m'en passer sur le dos? dit-il en se retournant sur le ventre.

Elle la prit à contrecœur, contemplant la longue silhouette bronzée. Elle s'humecta les lèvres.

Ashley avait enfoui sa tête dans ses bras, comme s'il allait s'endormir. Ses muscles puissants étaient parfaitement relaxés.

Selina déboucha lentement le flacon et versa un peu de crème dans la paume de sa main. Elle s'assit sur ses talons près de son mari, hésitant à le toucher.

— Allons, vas-y! dit-il sans retourner la tête vers elle.

Soupçonnait-il les sentiments qu'il faisait naître en elle?

Elle laissa tomber le produit sur son dos.

— Mmm... c'est bon, murmura-t-il.

Elle posa enfin la main sur lui, le souffle court et le feu aux joues. La peau était chaude et souple sous sa paume. Elle commença d'étendre la lotion sur ses omoplates, en un mouvement de massage circulaire. Elle était si près qu'elle voyait chaque pore de sa peau. Elle sentait ses muscles rouler sous ses doigts, et cette réponse involontaire lui faisait battre le cœur. Sa propre respiration s'accélérait sans qu'elle s'en rendît compte, tandis que celle de l'homme était régulière.

Soudain, il tourna la tête, brisant le charme. Il était curieusement pâle, mais son expression était masquée par les lunettes noires.

— A l'autre côté, maintenant, dit-il légèrement en se remettant sur le dos.

Il sembla sombrer dans le sommeil, les bras de chaque côté du corps, les paumes ouvertes, comme offert au soleil.

Elle hésita un moment, partagée entre la crainte et le désir de le toucher de nouveau. Puis elle se mit à enduire son torse. Il respirait calmement, son visage était détendu, sa bouche entrouverte, toute dureté ayant disparu de ses traits.

La vulnérabilité de ce corps viril, immobile sous ses doigts, réveilla le secret désir de Selina. Elle ne se lassait pas de regarder cette longue silhouette nerveuse. Même au repos, il émanait de lui une violente sensualité. Les doigts de la jeune femme s'attardèrent dans la toison de sa poitrine. Elle était excitée par ce contact rude sous sa peau.

Soudain, elle perçut un mouvement de paupières derrière l'écran des lunettes, et elle s'éloigna vivement. Elle referma le flacon et s'allongea, tentant de retrouver le rythme normal de sa respiration.

Le soleil tombait sur eux comme une chape d'or. La mer chuchotait doucement, et quelques oiseaux piaillaient au-dessus des vagues. Le tremblement de Selina diminua, et son souffle s'apaisa.

Son cœur bondit dans sa poitrine lorsqu'Ashley bougea. Ses yeux élargis d'appréhension se tournèrent vers lui. Il débouchait le flacon et versait de la crème dans sa main.

— Ce n'est pas la peine, je... protesta Selina en se redressant.

Sans un mot, il la repoussa contre la serviette et s'agenouilla près d'elle. Elle n'osa pas protester en sentant la fraîche lotion sur la peau d'or pâle de son ventre.

Son cœur battait si fort qu'Ashley devait s'en apercevoir. Elle était tendue, incapable de se relaxer, et l'observait avec l'angoisse muette d'un animal pris au piège.

Les longs doigts remontèrent lentement vers ses épaules, massant doucement ses muscles, épousant la forme de son corps. Puis, caressants, ils effleurèrent la tendre courbe de ses seins. Elle s'assit brusquement.

— Non!

De nouveau, il la repoussa avec autorité et glissa une main sous son dos. La panique lui nouait la gorge. Elle tenta de se débattre tandis qu'il défaisait l'agrafe de son soutien-gorge. En vain. De désespoir, elle ferma les yeux. Sa tête roulait de droite à gauche.

— Non... gémit-elle.

Il l'enjamba, la serrant entre ses genoux tandis qu'il dégageait sa poitrine, en la caressant.

Il y eut un temps, durant lequel elle n'entendit que les battements redoublés de son propre cœur. Puis elle sentit la fraîcheur de la crème sur le bout de ses seins. Un gémissement lui échappa, malgré ses efforts pour se contrôler.

Les mains d'Ashley s'immobilisèrent. Il l'observait, et elle le sentait. Elle avait les paupières closes, et seul le frémissement de ses longs cils sur ses joues prouvait qu'elle était consciente de ses gestes.

La caresse du pouce sur une pointe de sein durcie lui arracha un nouveau cri de plaisir. Tremblante, les joues en feu, elle ouvrit les yeux et osa enfin regarder Ashley. Les lunettes masquaient complètement son expression. Sa bouche était dure.

— S'il te plaît... je... si nous allions nous baigner... murmura-t-elle d'une toute petite voix.

Ses lèvres eurent un rictus sardonique, mais il se leva. Il la regarda sans mot dire remettre le haut de son maillot.

— Le premier à l'eau! dit-il soudain.

Ils se mirent à courir dans le sable chaud et se précipitèrent dans la mer. Ashley entama un crawl vigoureux, tandis que Selina flottait paresseusement sur le dos, le regard perdu dans le ciel incroyablement bleu, obsédée par ce qui venait de se passer.

Brusquement, elle se sentit tirée vers le fond. Elle cria et éclata de rire en même temps. Ils émergèrent enlacés dans la lumière du soleil. Elle s'agrippait involontairement au corps nu, et ses longs cheveux mouillés balayaient le visage souriant. Les yeux gris scintillaient, pleins de tendre complicité.

— Tu étais une proie bien tentante, rêvant au sommet des vagues... Suppose que je sois un requin? Je t'aurais entraînée dans mon antre et dévorée petit bout par petit bout...

— J'en suis sûre, répliqua-t-elle. J'ai toujours su que tu me rappelais quelque chose... Un requin!

Il frotta sa joue contre la sienne, leurs chevelures mêlées. Il tourna le visage, et leurs bouches s'effleurèrent. Le ciel bleu, la mer bleue s'immobilisèrent soudain. Selina resserra ses bras autour du cou d'Ashley. Il resserra les siens autour du corps nu. Leurs lèvres s'unirent en un baiser brûlant et sauvage. Selina, les yeux fermés, se collait à lui, submergée de désir.

Soudain, elle fut libre, roulant dans la vague. Le corps puissant qui sortait de l'eau devant elle était le seul souvenir de leur étreinte.

Elle remonta sur le sable, frissonnant légèrement. Ashley se séchait vigoureusement, quelques grains de sable accrochés à sa chevelure mouillée.

— Allons déjeuner! dit-il sans un regard vers elle.

Elle se glissa dans son peignoir. Cet instant de merveilleuse liberté, au sein de la mer, n'avait-il été qu'un rêve? Pour la première fois de sa vie, elle s'était abandonnée aux exigences de son corps qu'elle redoutait tant. Et cela avait été délicieux...

La servante, Joanna, vivait avec son mari dans un petit appartement au-dessus du garage. Ils avaient deux petits enfants aux yeux ronds comme des soucoupes et au large sourire. Amos s'occupait du jardin et du bricolage, tandis que sa femme faisait le ménage et la cuisine.

Joanna servit le repas en chantonnant. Selina s'aperçut qu'elle avait une faim de loup. Elle dévora melon, steak et salade avec un bel appétit.

Après le déjeuner, ils décidèrent d'aller faire la sieste en attendant des heures moins chaudes pour profiter du jardin.

La jeune femme enfila une légère robe jaune à fines

bretelles, puis s'étendit dans son lit et tomba dans une légère somnolence.

Elle cligna des paupières lorsqu'Ashley fit irruption dans sa chambre. Il s'approcha du lit et l'observa, impénétrable. Il portait un T-shirt et un pantalon de couleur claire.

— Que veux-tu? demanda-t-elle, alarmée.

— Tu avais dit vouloir aller en ville, rappela-t-il. Nous pourrions faire quelques courses, nous avons tous deux besoin de vêtements de plage.

Elle rougit et s'assit au bord de son lit. Elle cherchait ses sandales, mais déjà Ashley était à ses genoux et les lui enfilait.

— Tu as des jambes merveilleuses, dit-il d'une voix neutre.

Ses doigts s'attardèrent sur les chevilles fines, puis remontèrent le long des mollets fuselés.

— Comment as-tu pu brunir ainsi à Londres? poursuivit-il.

— Lampe à bronzer, articula-t-elle.

Il lui était impossible de soutenir une conversation, même anodine, s'il continuait à la caresser de cette façon sensuelle, troublante. Pourtant, elle n'osait pas protester.

Il se leva, et elle l'imita. Ce geste les rapprocha encore. Il observait son visage expressif, un sourcil levé.

— Il faudra que tu t'habitues à me voir dans ta chambre... Cependant, ce n'est pas la peine de sursauter chaque fois que je m'approche de toi. Je n'ai pas l'intention de te violer...

Selina rougit violemment, ses longs cils baissés.

— Je... je ne m'attends pas...

— Oh, mais si! Tu t'y attends depuis que nous sommes arrivés... se moqua-t-il. Je pensais m'être bien fait comprendre... Je ne suis pas pressé. Détends-toi. Ce n'est pas un sacrifice que je te demande. Ce genre de relations ne m'a jamais intéressé.

Elle le regarda, incrédule.

— Mais... notre marché...

— Rien ne presse. J'en profiterai à mon heure...

Selina lui glissa un coup d'œil en biais, irritée par son attitude. Bien qu'elle redoutât le moment où il exigerait son dû, elle était un peu vexée de sa façon indifférente d'aborder le problème. Qu'était devenue l'ardeur avec laquelle il l'assiégeait autrefois?

— Tu as respecté ta parole, dit-elle doucement, curieuse de sa réaction. Je n'ai pas l'intention de me dérober, Ashley. Tu as le droit de prendre ce pour quoi tu as payé, quand tu le veux.

Elle fut surprise de la colère qu'elle lut sur son visage. Il serrait les mâchoires. Ses yeux d'acier étaient plus durs que jamais.

— Je le sais! Mais je n'ai pas oublié ce qui se passait jadis. Je n'ai aucunement l'intention de violer une femme terrifiée...

Les choses auraient dû en rester là, mais Selina était blessée par sa dureté.

— Peut-être cela serait-il différent, suggéra-t-elle doucement.

Il reprit longuement son souffle, et ses traits s'adoucirent. Il l'attira vers lui. Lorsqu'elle sentit contre elle la force de son désir, elle sut qu'elle attendait cela depuis la scène de la plage. Les battements de son cœur s'accélérèrent, faisant taire ses scrupules. Elle passa ses bras autour du cou d'Ashley, et ses mains se perdirent dans l'épaisse chevelure brune. Elle se colla étroitement contre lui. Il regardait, stupéfait, le visage levé vers lui, cherchant à lire dans ses yeux. Comme il ne faisait pas un geste, elle se dressa sur la pointe des pieds et caressa doucement sa bouche de la sienne.

Alors, il l'embrassa farouchement, forçant l'ouverture de ses lèvres. En le sentant durcir contre elle, elle se laissa submerger par la vague qui l'emportait. Il la serrait et caressait son dos et ses reins, en l'attirant plus près. Elle s'arqua contre lui, les paupières fermées, abandonnée comme elle ne l'avait jamais été de sa vie. Le baiser sauvage s'adoucit, devint tendrement sensuel. Selina tremblait. Elle réalisait la force de ses sentiments. Elle voulait que cet instant ne finît jamais. Il fallait qu'il continuât à l'embrasser, à la caresser, indéfiniment. C'était ce qu'elle avait désiré désespérément depuis des jours. Les mains avides couraient sur son corps. Et Selina se demandait fiévreusement de quand datait sa réaction curieuse. C'était depuis qu'elle avait appris dans le journal la nouvelle de sa mort...

N'était-ce pas à ce moment qu'elle avait compris que sa passion pour lui était plus forte que sa crainte des relations sexuelles? Elle n'avait pas eu le temps d'y penser avant son apparition au Club. Elle avait eu peur qu'il fût mort sans savoir à quel point elle l'aimait.

Elle revint de l'exploration de ses sentiments en se sentant déposée sur le lit.

Il lui prit la bouche de nouveau tout en lui caressant doucement les seins, et elle avait l'impression d'étouffer de plaisir.

Il glissa une main sous sa robe et, devant la virilité de cette peau contre la sienne, elle s'éloigna brusquement, en poussant un petit cri d'animal blessé.

— Ne te débats pas, chérie, dit-il d'une voix rauque en la maintenant sous lui. N'aie pas peur...

— Laisse-moi! hurla-t-elle.

La vieille panique revenait, redoublée par le lourd poids du corps qui pesait sur elle.

Il lui prit la tête entre les mains et plongea son regard cruel dans le sien.

— Tu ne peux pas me faire ça! Tu m'as allumé volontairement, sale petite garce!

— Je suis désolée...

Des larmes lui montaient aux yeux. Elle était incapable d'expliquer la complexité de ses sensations. Ce combat entre l'amour et la peur la laissait sans force.

— Désolée?

Sa voix était sauvage. Soudain, il leva la main, et lui envoya une gifle magistrale.

Complètement étourdie, Selina se libéra. Mais Ashley l'attira de nouveau contre lui. Il se fit volontairement brutal, usant de sa force pour la maintenir étendue et immobile. Il attrapa le haut de sa robe, et, d'un mouvement violent, la déchira du haut en bas. Il étouffa le cri de la jeune femme sous ses lèvres. Il l'embrassait sans fin, explorant la bouche tendre, tandis que ses mains prenaient brutalement possession de son corps révolté.

Brusquement, il s'arrêta et enfouit son visage dans le cou de Selina avec un grognement sourd.

— Oh, Dieu! Selina, qu'as-tu fait de moi? Comment ai-je pu me laisser aller à ce point?

Il releva la tête. Selina, les yeux humides, pâle et tremblante, s'obligea à soutenir son regard accusateur.

— C'est toi qui m'as mené jusque-là, que tu le veuilles ou non...

— Je le reconnais, dit-elle d'une voix basse et honteuse. Je regrette...

Il chercha son regard. Les larmes se mirent à ruisseler sur le visage de Selina. Ashley l'attira de nouveau contre lui, tendrement, et lui caressa doucement les cheveux.

— C'est fini, dit-il gentiment. Il n'y a pas de quoi pleurer. Dieu seul sait pourquoi tu as agi ainsi, mais ce n'est pas grave...

— Je suis désolée... hoqueta-t-elle en posant sa joue contre la forte poitrine. Je voudrais pouvoir expliquer...

— Selina, intervint-il d'une voix ferme, je sais. Je sais, au sujet de ton beau-père...

4

Selina devint très pâle. Frissonnante, elle lui fit face, essayant de lire dans son regard. Mais un masque impassible cachait ses sentiments. Elle réfléchissait fiévreusement, se demandait comment il avait pu apprendre la vérité et redoutait ses paroles.

— La nuit où j'ai eu cet entretien avec Roger, j'ai fait ce que j'aurais dû faire depuis longtemps. Je l'ai interrogé sur ta vie avant moi. Il hésitait à parler, ce qui prouvait bien qu'il y avait quelque chose à cacher.

Selina exhala un long soupir et serra ses mains l'une contre l'autre pour les empêcher de trembler.

— Tu... tu n'as pas menacé Roger?

— Je n'ai pas eu à le faire... Mais je l'aurais torturé si cela avait été nécessaire...

La violence de sa voix étonna Selina. Il y eut un petit silence.

— Non, en fait, je lui ai fait comprendre que, s'il voulait encore de l'aide à l'avenir, mieux valait pour lui coopérer. D'ailleurs, il a reconnu que, dans ton intérêt, je devais savoir toute la vérité.

— Toute... la vérité?

— Il m'a donné les grandes lignes de l'histoire. J'ai trouvé le reste dans les journaux de l'époque.

Les joues écarlates, Selina recula et s'assit sur le bord du lit, comme si ses jambes ne la portaient plus. Elle baissa la tête comme une petite fille. Sa chevelure flamboyante balayait son visage, découvrant sa nuque.

— Alors, tu sais tout... murmura-t-elle d'une voix ténue.

Elle se sentait épuisée, comme après un gros effort physique.

— Ton beau-père était une brute, qui vous battait, Roger et toi, quand il avait bu, dit Ashley calmement, sans la quitter des yeux. Il tapait sur ta mère aussi. Roger m'a dit que vous l'entendiez souvent crier dans sa chambre.

Selina était secouée de sanglots silencieux.

— Oui... C'était...

Mais elle ne put poursuivre.

— Ce traitement l'a rendue malade, continua Ashley prudemment. Elle a dû s'aliter.

— Elle devenait de plus en plus maigre... ajouta Selina comme pour elle. Elle n'était plus que l'ombre d'elle-même...

Il enfonça ses mains dans ses poches, le visage grimaçant.

— Et puis, un jour...

— Non! gémit-elle en secouant la tête.

— Il faut en parler! ordonna-t-il d'une voix rude, mais les yeux pleins de compassion. Tu avais seize ans. Il est rentré plus ivre que d'habitude. Il t'a battue jusqu'à ce que tu perdes presque conscience; puis il a essayé de te violer...

Selina ne put retenir une plainte d'horreur et de dégoût. Elle croisa ses bras sur sa poitrine, la tête toujours baissée. Elle tremblait si fort que ses dents s'entrechoquaient.

Ashley arracha le couvre-lit et le lui mit sur les épaules. Il nota le sursaut qu'elle eut au contact de ses mains sur elle. Il alla chercher une chaise et s'assit en face d'elle.

— Puisque je sais tout, tu ne veux pas en parler un

peu?... Il le faut, Selina. Cet abcès qui t'empoisonne depuis des années, il faut le crever. Raconte-moi tout, particulièrement ce que tu ne veux pas te rappeler...

— Je ne peux pas, dit-elle d'une voix sourde.

— Tu y arriveras, si tu fais un effort, supplia-t-il. Il faut mettre au grand jour ces horribles souvenirs enfouis en toi depuis trop longtemps.

— Je ne veux pas que *toi* tu saches.

— Moi, spécialement?... Pourquoi, Selina?

Elle leva les yeux, et il fut frappé par son expression.

— Tu te figures que je t'en voudrais? demanda-t-il doucement. Pour l'acte immonde d'une brute avinée?

— Le tribunal a jugé que j'étais en partie coupable... L'avocat de la défense a suggéré que je voulais...

Elle ne put aller plus loin, reprise d'un tremblement convulsif.

— Je sais, intervint-il le visage sombre. Les juges ont tendance à penser que les femmes sont aussi responsables que les hommes.

— C'était... comme si l'on m'attaquait de nouveau. Cette fois, en public, devant tout le monde...

Il fit un geste vers elle, puis se renversa dans son siège, avec un mouvement d'impuissance.

— Ce n'est pas ce que je veux, Selina. Je vais seulement t'écouter m'en parler. Je suis avec toi...

Selina prit une profonde inspiration.

— Roger dormait quand... quand il est arrivé à la maison. Il est entré dans ma chambre, et je me suis sauvée. Je croyais qu'il voulait me battre. Il m'a couru après dans l'escalier et il m'a frappée, et frappée... J'étais par terre, à moitié assommée. Je n'ai pas réalisé ce qui allait se passer jusqu'à ce que je m'aperçoive qu'il me caressait...

Elle claquait des dents de plus en plus violemment.

— J'ai hurlé. Heureusement, le voisin m'a entendue. Il a frappé à la porte. Mon... mon beau-père a juré et lui a crié de s'éloigner. Je hurlais toujours. Le voisin a enfoncé la porte et il est entré.

Ashley la prit contre lui et lui caressa doucement les cheveux.

— C'est fini, Selina... C'est fini...

Il semblait qu'elle ne pouvait plus s'arrêter, maintenant qu'elle avait commencé.

— Je n'aurais jamais pu l'empêcher... Il était trop fort. Il me faisait tellement mal, et je ne pouvais pas bouger...

L'étreinte d'Ashley se resserra. Il était mortellement pâle.

— Mais finalement, il ne...

— Non... Il a été arrêté à temps. Mais je me suis sentie souillée comme s'il l'avait fait... et coupable, surtout après le procès... Ma mère est morte tout de suite après. Roger et moi avons pris un autre nom, et Freddy nous a trouvé un logement bon marché. Nous devions nous cacher, sinon on m'aurait séparée de Roger. Je travaillais au Club pour gagner l'argent de notre subsistance. J'avais promis à ma mère de m'occuper de mon frère.

— Et ton beau-père est mort en prison?

— Oui. On a dit qu'il avait attrapé une pneumonie.

— Cela ne m'étonne pas que tu aies cette horreur du sexe. Pourquoi, au nom du Ciel, ne m'as-tu pas tout dit dès le début?

— Je ne voulais pas que tu saches... Je voulais tout oublier.

— Mais tu ne pouvais pas, affirma-t-il fermement. Pourquoi m'as-tu épousé, Selina?

— Je... je t'aimais, répondit-elle simplement. La première fois que nous nous sommes rencontrés, au Club, tu m'as paru différent des autres hommes. Tu n'essayais pas de promener tes mains sur moi. Tu étais gentil... et correct.

— Correct? répéta-t-il avec une grimace. Tu as vite changé d'avis, n'est-ce pas?

— C'était ma faute, dit-elle en rougissant. J'avais l'impression de vivre un rêve tout éveillée.

— Et la nuit de notre mariage, la vérité m'a frappé en plein visage! s'écria-t-il avec une amertume qu'il ne pouvait cacher.

— J'ai essayé de m'empêcher de me débattre. Mais dès que tu m'approchais, c'était plus fort que moi...

— C'est bien compréhensible, murmura-t-il. Tu étais physiquement et moralement traumatisée par ce qui s'était passé. Si seulement tu m'en avais parlé...

— C'était très mal de ma part de t'épouser. Je savais que le côté sexuel du mariage m'épouvantait. Mais j'ai voulu croire que tout serait différent avec toi. J'avais peur, si tu apprenais la vérité, que tu n'aies une mauvaise opinion de moi. Dans la salle d'audience, les gens me dévisageaient...

Elle ferma les yeux, combattant une violente nausée.

— Pendant des années, j'ai revu chaque nuit ces regards curieux, pleins de sous-entendus... Des cauchemars sans fin...

— En as-tu encore?

— Rarement, prononça-t-elle faiblement.

Ashley garda le silence un moment.

— A présent que je sais, comment te sens-tu?

Elle leva le visage vers lui, les yeux agrandis d'étonnement.

— Plutôt mieux que je ne le pensais...

— Je te l'avais dit...

Elle baissa les paupières et eut un petit sourire.

— Tu as été très bon, Ashley. Et très compréhensif.

— Pensais-tu vraiment que cela changerait mes sentiments pour toi? dit-il d'une voix sourde.

— Je le craignais, reconnut-elle. Tu aurais sans cesse gardé cette arrière-pensée... ce doute à mon sujet.

Il lui releva le menton d'un index tendre. Leurs regards se croisèrent. Les yeux gris souriaient.

— Ma seule arrière-pensée est de faire de toi une vraie femme. Tu es pétrifiée dans un état intermédiaire entre l'enfance et l'âge adulte. Il faut franchir le pas, Selina. A l'extérieur, tu es une femme magnifique. Mais nous savons tous les deux que, dans ta tête, tu n'es qu'une petite fille paniquée. Tu vas t'en sortir tout doucement, petit à petit...

Elle frotta sa joue, confiante, contre la paume de son mari.

— Je le désire... murmura-t-elle timidement.

La respiration d'Ashley s'altérait, et une sombre passion se lisait dans ses yeux. Cependant, il s'éloigna d'elle.

— Donne-toi le temps... Laisse décanter...

La poignée de la porte bougea, les faisant tous deux sursauter. Ashley sourit.

— Joanna, chuchota-t-il. Elle doit se demander ce que nous pouvons bien faire tout ce temps, enfermés...

Selina devint cramoisie.

— Oh, mon Dieu! Que va-t-elle penser?

— Devine?... plaisanta-t-il. Allons, viens faire ces courses. Un peu de marche nous fera du bien.

Il lui tendit la main, et elle y plaça la sienne sans broncher.

Ils descendirent vers la ville par des chemins étroits. Ils croisèrent beaucoup d'ânes, et de paysans. Ils s'arrêtèrent pour admirer un petit jardin où poussaient des daturas d'une blancheur de cire dont les branches s'entrelaçaient. Les collines s'assombrissaient dans le crépuscule. Une brise plus fraîche venait de la mer. La chaleur déclinait doucement comme le soleil à l'horizon.

— C'est presque irréel, murmura Selina. Tout est excessif. Le ciel trop bleu, la mer trop calme, les fleurs trop éclatantes. On dirait un univers de conte de fées, où tout un monde éclôt en l'espace d'une nuit.

— Peut-être as-tu besoin de rêve... D'un endroit où tu puisses respirer un moment...

— Sans doute en est-il ainsi pour chacun de nous, même pour toi, Ashley.

— Oh, moi, je sais ce que je veux.

— Et c'est?... demanda-t-elle, curieuse.

Il eut un sourire très tendre.

— Je te le dirai un jour, quand je l'aurai obtenu.

— Pas avant?

— Certainement pas... Tu connais le vieil adage : Un vœu partagé est un vœu perdu...

— Non, je ne l'avais jamais entendu.

— Pas étonnant, dit-il en éclatant de rire. Je viens juste de l'inventer...

— Je me rappelle, remarqua-t-elle pensivement, que le jour de ton anniversaire, en soufflant tes bougies, tu n'as voulu dire à personne quel vœu tu avais formé.

— C'est la même chose. Cela porte malheur.

Ils trouvèrent une boutique moderne, et Selina fit l'acquisition d'une paire de sandales, d'un large chapeau de paille et d'un sac de plage. Ashley la rejoignit sur le seuil. Il tenait un paquet à la main.

— Qu'est-ce que c'est? s'enquit-elle, intriguée.

— Un cadeau.

— Pour moi?

— Tu l'ouvriras plus tard, dit-il en le glissant dans le sac qu'elle venait d'acheter.

Ils s'assirent à une terrasse de café, à l'ombre d'un parasol, et commandèrent un cocktail glacé de jus de fruits exotiques.

Un jeune homme en jeans et T-shirt passa devant eux. Il s'arrêta brusquement pour regarder Selina. Puis il se dirigea vers le couple avec un sourire poli.

— Je sais que c'est un truc un peu usé, mais j'ai l'impression de vous connaître, dit-il, s'adressant à la jeune femme.

Elle le dévisagea, inconsciemment hautaine.

— Je ne pense pas que nous nous soyons déjà rencontrés.

— Je suis désolé, mais je crois que... Je suis de Londres. Je suis sûr de vous y avoir vue.

L'insistance du jeune homme commençait à irriter Ashley.

— Ma femme dit qu'elle ne vous connaît pas, dit-il sèchement. Cela devrait vous suffire... Allons, il faut rentrer, Selina.

— Selina! s'écria le garçon. Mais oui! Vous êtes la sœur de Roger!

Selina changea instantanément d'expression.

— Vous êtes un ami de mon frère?

— Nous travaillons dans le même bureau, dit-il en riant.

Il devait avoir à peu près l'âge de Selina. C'était un grand garçon blond, plein de santé, au regard franc et direct.

— C'est extraordinaire! dit Selina.

— Le monde est petit, n'est-ce pas?

Il sourit à Ashley qui resta impassible.

— Vous êtes en vacances aussi, je suppose? reprit-il sans se décourager. Ne voudriez-vous pas prendre un verre avec moi? Je suis ici depuis une semaine, mais je ne connais personne. Ce n'est pas la pleine saison, et les clients de l'hôtel où je loge sont tous d'un certain âge...

Selina jeta un regard interrogateur à son mari. Il était de marbre.

— Désolé, dit-il avec brusquerie. Nous devons rentrer.

Il pressait impérativement les doigts de Selina, et elle fut obligée de le suivre.

— Bonsoir, fit-elle avec un sourire. Ravie de vous avoir rencontré.

— Peut-être pourrions-nous nous revoir, dit-il vivement. Quand vous serez moins pressés... Je réside à l'hôtel Lorelei. Mon nom est Phil Webster.

Il les suivait, le regard suppliant.

— Pourquoi pas demain? insista-t-il. Juste pour prendre un verre... Puisque je suis un ami de Roger...

— Je vous appellerai, répondit gentiment Selina.

Il resta immobile à les regarder s'éloigner. Selina se tourna vers Ashley.

— Tu n'as pas été très gentil... Je crois qu'il était sincère, il connaît Roger. Ce n'était pas un moyen de faire connaissance.

— Je suis ici pour me détendre, coupa Ashley. Non pour faire la causette avec un petit jeune homme qui n'a même pas le tact de s'apercevoir qu'il est importun.

— Tu es injuste! Il m'a reconnue!

— Il a jeté un coup d'œil sur cet adorable corps qui est le tien et il est tombé amoureux! Un coup de chance pour lui que, par hasard, il connaisse Roger... Il cherchait une excuse pour engager la conversation bien avant d'avoir réalisé qui tu étais.

— Tu as l'esprit mal tourné!

— En effet, concéda-t-il avec un ricanement coléreux. J'ai l'impression que mon traitement est en train de porter ses fruits, Selina!

— Que veux-tu dire?

— Tu le sais très bien. C'est la première fois que je te vois encourager un dragueur. D'habitude, tu les repousses énergiquement. Cette fois-ci, tu lui as donné instantanément le feu vert!

— Absolument pas!

Elle avait les joues en feu. Il marchait à longues enjambées, et elle devait presque courir pour rester à sa hauteur.

Il s'arrêta net et baissa sur elle un regard inquiétant.

— Tu sais parfaitement que si! Il t'a fait des compliments, et tu as été flattée. Maintenant, écoute-moi bien : je n'ai pas l'intention de rester planté à te regarder dans ton numéro de séduction...

— Tu es fou! J'ai simplement essayé de me montrer

aimable et amicale avec ce garçon, et tu me vois déjà dans son lit!

— Si je le pensais vraiment, je t'étranglerais, Selina, dit-il d'un ton bas et menaçant.

Leurs regards s'affrontèrent en silence. Puis il se remit à marcher, et elle le suivit.

Ils arrivèrent à la villa rouges et essoufflés. Ashley se rendit directement dans sa chambre dont il claqua la porte. Selina en fit autant. Joanna qui dressait la table dans la salle à manger eut un petit rire. Toute la journée enfermés dans une chambre, et maintenant ennemis!...

Délibérément, Selina choisit pour le dîner une robe qu'elle n'avait presque jamais portée. Elle lui collait au corps comme une seconde peau, moulant étroitement sa poitrine et ses hanches minces. Elle était en soie orange, retenue aux épaules par de fines bretelles.

Elle se maquilla avec le plus grand soin. Son rouge à lèvres était du même ton que sa robe, et l'ombre à paupières verte exaltait la couleur de ses yeux.

Elle sortit sur la terrasse, ondulant sur ses sandales à talons hauts. Ashley buvait un verre. Il se tourna vers elle, et ses yeux s'agrandirent. Elle s'avança vers lui, l'observant à travers ses longs cils.

— Tu m'offres à boire?

Il lui servit un apéritif et le lui tendit. Le contact de ses doigts frais fit battre le cœur de la jeune femme.

Les glaçons tintaient contre le cristal. Ashley regardait le jardin s'emplir d'ombre. La lune, énorme, se reflétait en dansant sur la mer. L'atmosphère tiède et paisible agissait sur les nerfs de Selina.

— Je me demande ce que Joanna nous a préparé, dit-elle légèrement. Je meurs de faim.

— Tant mieux, répondit Ashley distraitement.

Elle se dit avec colère qu'il avait à peine remarqué sa présence. Ce n'était vraiment pas la peine de se donner tant de mal pour se faire belle!

Joanna vint annoncer le dîner, de sa voix chantonnante de fille des îles.

— C'est un repas froid, ce soir, précisa-t-elle.

— Parfait, remercia Ashley. Vous pouvez rentrer chez vous, Joanna. Merci.

Elle fit un grand sourire, les yeux pleins d'un amusement secret.

Ils se mirent à table, dans la vaste salle à manger fraîche. Des bougies étaient allumées dans les chandeliers d'argent. Une bouteille de vin blanc rafraîchissait dans un seau à glace sur la nappe damassée. Les mets variés étaient agréablement présentés dans des raviers, sur un grand plateau. Salade, fromage et fruits terminaient le repas.

Ashley goûta le vin, puis servit Selina, avant de remettre la bouteille dans le seau. Il leva son verre et dit doucement :

— A l'avenir...

Elle rougit et but, un sourire au fond des yeux. Apparemment la colère de son mari était tombée. Ils mangèrent en silence. Soudain Ashley se leva.

— Il manque quelque chose...

Un instant plus tard, une musique douce s'élevait dans la pièce voisine.

Selina se sentit agitée d'un tremblement intérieur. Chandelles, vin, musique, où cela les conduirait-il ? Il avait promis d'être patient, il avait le temps, disait-il... Mais, cet après-midi, il n'avait été ni poli ni indulgent avec le jeune Anglais. Il avait eu une réaction jalouse et possessive.

L'espèce de violence sexuelle qui émanait de lui l'avait toujours paniquée. La promesse implicite de son corps élancé, de ses mains puissantes, la faisait frissonner.

Cependant, une partie d'elle-même désirait profondément ce contact. Elle le trouvait extrêmement séduisant, et le temps n'avait rien gâché. Il avait au contraire apporté une modification dans ses réactions vis-à-vis de lui.

Lorsqu'elle le sentait passif, se laissant embrasser par elle sans tenter de répondre, quelque chose se débloquait dans l'esprit de la jeune femme. Un désir éperdu de lui montait alors en elle. Mais dès qu'il s'animait et prenait l'initiative, la vieille peur l'envahissait de nouveau.

C'était la violence qui la terrorisait dans l'amour physique.

Il était appuyé au dossier de sa chaise et la regardait d'un air énigmatique. Elle rougit, se demandant stupidement s'il pouvait lire dans ses pensées. Mais il se contenta d'annoncer :

— Je vais faire le café.

— J'y vais! s'écria-t-elle en se levant un peu trop vite. Son assiette s'écrasa sur le sol.

— Je suis navrée, s'excusa-t-elle à voix basse en se penchant pour réparer les dégâts.

— Laisse! s'écria coléreusement Ashley en la relevant. Et cesse de t'excuser sans arrêt! Cela me fatigue.

— Mais je peux nettoyer avant de m'occuper du café...

— Joanna le fera demain. Elle est payée pour cela. Il l'entraîna vers la cuisine.

Là, elle s'affaira, tandis qu'Ashley préparait les tasses. Elle sursauta lorsque leurs mains s'effleurèrent. Le regard d'Ashley devenait de plus en plus ironique. Enfin, il lui saisit le poignet.

— Arrête, Selina!

— Quoi? demanda-t-elle, confuse.

— Cesse de bondir chaque fois que je m'approche de toi. Nous avons passé ce stade. Tu as été un véritable paquet de nerfs toute la soirée... C'est pourquoi tu as cassé cette assiette. Tu as toujours aussi peur... De quoi?

Elle secoua son bras, serré dans une poigne de fer.

— Je ne sais pas, mais tu n'arranges rien en me maltraitant...

Il eut un rire sourd.

— Te maltraiter? Tu ne sais pas de quoi tu parles! Si je me laissais aller, en ce moment, là, tu aurais quelques raisons d'être effrayée...

Son regard était brûlant. Elle fronça les sourcils.

— Non, Ashley, murmura-t-elle en frissonnant.

Il la tira par le poignet, et elle tomba contre lui.

— Bon Dieu, grogna-t-il, tu me mets hors de moi...

Elle tendit une main pour le repousser, mais il l'enserra de son bras libre. Elle se sentit écrasée contre lui, le corps arqué, la tête rejetée en arrière.

Il la regardait tout au fond de ses yeux qui vacillaient.

— Tu es si belle, Selina, dit-il doucement. Tout le feu qu'il y a en toi est-il concentré dans ta chevelure? Ou bien enfoui profondément, attendant d'être attisé?

Elle ne pouvait détacher son regard de sa bouche dure, cruelle, irrésistible.

Il inclina la tête, et elle gémit, fermant les paupières.

Puis leurs lèvres se touchèrent, et elle se mit à trembler, soudain embrasée. Inconsciemment, elle poussa un petit soupir de plaisir, tout contre sa bouche. Son corps fléchissait sous la forte étreinte. Ses mains caressaient les cheveux d'Ashley. Il écarta ses lèvres de sa bouche exigeante. Sous l'ardeur de son baiser, elle répondit inconsciemment, abandonnant toute énergie, toute volonté de résistance. Elle s'abandonnait, languissante, contre lui. Le désir la brûlait.

Ils n'entendirent même pas le gargouillement du percolateur.

De ses mains expertes, Ashley fit glisser les fines bretelles de la robe et se pencha pour embrasser les épaules nues. Elle ondulait et gémissait, partagée entre l'envie de protester et un plaisir qui la laissait pantelante.

Il passa une main dans son dos et tira sur la fermeture

à glissière. La robe tomba à terre, découvrant Selina, émue et tremblante, en combinaison. Elle ne résistait pas. Ashley baissa de nouveau la tête, et sa bouche parcourut la douceur dorée de ses épaules avant de s'attarder sur les seins à demi découverts. Elle sentait le désir s'exacerber en lui. Son cœur battait la chamade.

— Oh, Dieu! Que j'ai envie de toi! murmura-t-il d'une voix rauque, contre sa poitrine.

Il glissa sa main pour la caresser sous le tissu léger. Le bout de ses seins durcit au contact de ses doigts, et elle ne put retenir une petite plainte, plus frémissante que jamais.

Il y eut soudain un bruit de pas sur le carrelage de la salle à manger, et ils se séparèrent brusquement. Ils étaient rouges et un peu hagards.

Selina ramassa sa robe et s'enfuit par la porte qui donnait sur la terrasse. Elle courut jusqu'à sa chambre et se jeta sur son lit.

Elle était partagée entre un rire hystérique et les larmes. Joanna était arrivée juste au mauvais moment. Ou au bon?...

En tout cas, juste à temps pour arrêter la progression de leur étreinte. Selina savait parfaitement que, quelques minutes plus tard, elle ne se serait plus appartenue.

Elle enfouit son visage dans l'oreiller.

— Oh, mon Dieu... gémissait-elle, si seulement Joanna n'était pas revenue...

5

Au bout d'un moment, elle se leva et alla mettre sa robe sur un cintre. Ashley viendrait-il? Elle savait, d'après son propre désir, qu'il avait envie de continuer... Elle se regarda dans le miroir. Ses yeux semblaient plus grands et plus verts que jamais, dans la pâleur de son visage. Sa lèvre inférieure tremblait. Elle voulait le voir venir... et pourtant le redoutait. Elle n'était pas encore prête. Il était trop tôt.

S'il entrait... lui résisterait-elle? Ou ce désir dévorant l'envahirait-il de nouveau, noyant toutes ses craintes, la menant vers un abandon total?

Déjà, elle éprouvait l'habituel raidissement de ses membres et de ses muslces à l'idée qu'il puisse lui faire l'amour.

Comment était-il possible d'aimer et de haïr en même temps? Une partie d'elle-même fondait dans un plaisir doré en pensant aux mains d'Ashley sur son corps. L'autre s'insurgeait, le rejetait avec rage, le détestait.

Elle prit sa chemise de nuit et la lança sur le lit, en un nuage soyeux. Puis elle se rendit dans la salle de bains, se déshabilla et se glissa sous la douche. De ses deux mains levées, elle retenait ses cheveux, tandis que l'eau tiède caressait sa peau. Elle avait l'impression que la douche la lavait de toute peur, de tous souvenirs amers, de toute misère. Elle laissa tomber sa chevelure. Son corps élancé se détendait doucement, et elle fermait les yeux de bonheur.

Elle les rouvrit brusquement en entendant la porte s'ouvrir. Elle se raidit, dans une pose inconsciente de protection.

— Ashley! Sors! cria-t-elle avec colère.

Il portait une robe de chambre sous laquelle on apercevait son pyjama de soie noire.

Mais ce fut son visage qui la frappa. Les yeux gris flamboyaient devant sa nudité. Il était très pâle, les mâchoires contractées, la bouche serrée.

— Que tu es belle...

— Je t'en supplie, murmura-t-elle. Laisse-moi...

Lentement, il défit sa ceinture et se déshabilla. Quand il s'approcha d'elle, elle poussa un petit cri et s'appuya au mur carrelé.

Il respira profondément, le visage assombri de rage.

— Pour l'amour du Ciel, Selina, ne sois pas stupide!

Il tendit la main vers elle, à travers le rideau des gouttes.

— Je ne vais pas te violer, lui chuchota-t-il à l'oreille. Nous allons prendre une douche ensemble. Qu'y a-t-il de mal à cela? Nous avons nagé, hier, n'est-ce pas? Tu n'avais pas peur...

Elle offrit son visage à la douche, les yeux clos. Son pied glissa sur les carreaux mouillés, et elle dut se raccrocher à Ashley. Elle ressentit une décharge électrique au contact de sa peau humide.

L'eau ruisselait sur lui, lui plaquant les cheveux sur la tête. Son regard était gentiment moqueur. Il laissa doucement descendre ses mains le long du corps de sa femme, l'enflammant partout où elles passaient.

— Il y avait longtemps que je ne t'avais pas vue nue... Tu n'as plus peur, n'est-ce pas? Je ne veux que quelques baisers...

Elle leva le visage et ferma les yeux. Ashley se mit à rire. Il s'approcha plus près et suivit de sa langue le chemin d'une goutte d'eau sur la joue de la jeune femme. Elle poussa un gémissement et lui mit les bras autour du cou quand il prit passionnément ses lèvres. L'eau ruisselait sur leurs visages. Leurs corps nus étaient l'un contre l'autre, et Ashley la pressait toujours plus fort contre lui. Il murmura doucement.

— Tu sais combien j'ai envie de toi. Et tu n'arrêtes pas de trembler... Je ne te forcerai pas. Quand tu seras prête, tu me le diras. Je veux que tu me désires aussi...

— Ashley...

Elle avait honte du mal qu'elle lui faisait.

Il la prit dans ses bras, et la souleva. Elle reposait sa tête mouillée sur l'épaule puissante.

— Je ne me plains pas... sourit-il. J'ai fait un progrès, cette fois.

D'une main, il arrêta la douche. Puis il porta Selina dans la chambre et l'enveloppa d'une énorme serviette de bain. Elle le regarda en riant.

— Tu trempes le tapis!

— Tant pis! répondit-il gaiement. Je vais te sécher.

— Je peux le faire moi-même, protesta-t-elle.

Une petite lueur moqueuse dansait dans ses yeux.

— Tu n'y prendrais pas autant de plaisir que moi!

Elle rougit, ce qui le fit rire de nouveau.

— Nous sommes mariés. Pourquoi ne te verrais-je pas nue?

— Joanna pourrait entrer...

Il fit une grimace.

— Cette femme est un fléau!

Elle baissa les yeux. Ashley lui pinça gentiment la joue.

— Ne t'occupe pas de Joanna et donne-moi cette serviette.

Selina ne bougea pas, tout le temps qu'il passa à l'essuyer soigneusement. Tandis qu'il se mettait en devoir de se sécher lui-même, elle enfila sa chemise de nuit, jetant parfois de brefs regards à ce corps viril et nu, si près d'elle. Des frissons lui parcouraient le dos.

Ashley, de nouveau vêtu, vint s'asseoir au bord de son lit et lui tendit la main. A contrecœur, elle vint vers lui, et il l'assit sur ses genoux.

— Tu t'habitueras à moi, dit-il doucement en lui caressant la joue. Je ferai tellement partie de ta vie que je serai invisible.

Il ne le sera jamais, pensa-t-elle en secret. Elle se rappelait l'émoi qui avait grandi en elle à la vue de son corps.

— A présent, couche-toi et dors. N'aie peur de rien, et surtout pas de moi. Je ne te veux pas de mal, Selina. Je ne te ferai jamais souffrir...

Elle passa le bout de sa langue sur ses lèvres.

— J'aimerais mieux que tu ne fasses plus ce geste, Selina.

— Quoi donc?

— Cela, murmura-t-il en passant sa propre langue très doucement sur la bouche de sa femme.

Tout au fond d'elle, un mal étrange naquit. Elle voulait qu'il recommençât. Elle leva sur lui des yeux révélateurs.

Ashley eut un grognement de protestation.

— Ne me regarde pas ainsi, ou toutes mes bonnes résolutions vont s'envoler par la fenêtre...

Il se leva, la laissant se glisser dans les draps.

— Bonne nuit, Selina, dit-il fermement en se dirigeant vers la porte.

Le jardin vivait, animé de bruits étranges. Selina les écouta, incapable de s'endormir. Des grenouilles coassaient, un oiseau de nuit hulula. La mer chuchotait sans fin sous la lumière de la lune d'argent...

Le lendemain, Selina était déjà attablée devant son petit déjeuner lorsqu'Ashley arriva sur la terrasse. Il remarqua tout de suite la froideur de son visage.

— Bonjour, dit-elle poliment.

Il eut un sourire railleur.

— As-tu bien dormi?

Malgré sa résolution de se conduire avec calme et pondération en sa présence, elle rougit légèrement.

— Très bien, merci. Et toi?

Il se beurra un croissant.

— Moi, non... Pourtant, j'ai fait des rêves bien agréables.

Elle se mordit la lèvre. Il ne lui rendait pas les choses faciles... Elle s'était trahie la nuit précédente. Bien qu'il prétendît qu'il serait patient, elle sentait qu'il l'assaillirait de nouveau. Or elle avait besoin de temps pour ordonner ses sentiments. Elle l'aimait, elle le désirait. Mais s'il tentait de la prendre, elle craignait que le résultat ne fût le même qu'avant. C'était un risque qu'elle ne voulait pas courir.

— Si nous retournions en ville, aujourd'hui?

Le croissant dans lequel il allait mordre resta en suspens. Il plissa les paupières.

— Pourquoi as-tu envie d'y aller?

— Pourquoi pas? demanda-t-elle en haussant les épaules.

— Je ne tiens pas à ce que ton jeune admirateur recommence à nous tourner autour, dit-il sèchement.

— Oh, ne sois pas stupide!

— Stupide? Tu crois que je n'ai pas remarqué que tu l'aimais bien?

— Tu fais un drame pour rien, protesta-t-elle. J'ai été polie, sans plus.

— Tu n'as pas vu le sourire que tu lui adressais, insista-t-il.

Elle lui jeta un regard entre ses cils.

— La jalousie est un vilain défaut...

Le visage d'Ashley se durcit.

— Je le sais.

Selina regretta soudain d'avoir provoqué cette diversion.

Elle traçait distraitement des cercles sur la nappe, avec son index.

— Après tout, je ne t'ai jamais posé de questions sur les femmes que tu avais eues... Ne me dis pas que tu as passé trois ans à lire les journaux et à jouer au tennis!

Il ne dit rien. Elle leva les yeux vers lui. Il avait une curieuse expression.

— J'aurais cru, dit-il enfin avec précaution, que tu te souciais fort peu de la façon dont j'avais passé ces quelques années. Ou avec qui...

Une sauvage jalousie éclata soudain en elle. Elle détourna les yeux et parvint à dire légèrement :

— Je suis curieuse, naturellement...

— Curieuse? articula-t-il.

— C'est humain...

— Pas jalouse, alors? demanda-t-il avec ironie.

Selina se sentit rougir.

— Pourquoi le serais-je? contre-attaqua-t-elle d'une voix un peu rauque.

— C'est à toi de me le dire.

— Jalousie implique possession. Tu n'es pas à moi.

— Vraiment? lança-t-il sauvagement. Crois-tu qu'il était facile de t'oublier?

— Il y avait Claire...

Il eut un rire amer.

— Elle n'était qu'une distraction destinée à te rendre jalouse. Nous nous sommes quittés au bout de quelques mois.

— Pauvre Claire...

— Ne t'attendris pas trop sur elle. Elle n'était pas follement amoureuse. Je n'étais pas le premier homme dans sa vie... ni le dernier.

— Vous aviez réservé des places sur le même vol...

— Simple coïncidence. J'ai annulé mon départ, parce que je...

Il s'interrompit brusquement, elle lui jeta un vif regard.

— Parce que?...

Il fit une grimace.

— Si tu veux tout savoir, mon détective privé m'avait dit que Roger était dans un drôle de pétrin. Il n'avait pas cessé de vous surveiller, lui et toi, et était au courant de ses dettes.

— Tu es revenu délibérément!

— Je voulais être là quand tu aurais besoin de moi.

— Tu as toujours eu l'intention de m'acheter... dit-elle lentement, d'une voix tremblante. Tu as attendu le bon moment... Tu savais que Roger se mettrait un jour ou l'autre dans de mauvais draps.

Il était livide.

— Oui. Il vaut mieux que tu connaisses la vérité. Il s'est passé exactement ce que j'espérais : tu as eu un besoin d'argent tout à fait désespéré. Je te l'ai déjà dit une fois, je ne renonce jamais à ce qui m'appartient. Je savais que c'était Roger qui te ramènerait vers moi. Aussi ai-je décidé d'attendre.

Selina le regarda avec haine.

— C'est ignoble!

Ashley était indéchiffrable.

— Cela ne change rien, que tu le saches. J'étais là quand il le fallait. Sinon, que serait-il arrivé à Roger? Te serais-tu vendue à un autre homme riche?

Elle se redressa, comme fouettée, blanche de rage.

— Je te déteste!

— Je te croyais assez intelligente pour accepter la vérité. Dommage que je me sois trompé.

Joanna apparut, à grand bruit de sandales sur le carrelage.

— Téléphone, annonça-t-elle joyeusement. Pour vous, Monsieur Dent.

— Dites que je suis absent pour la journée...

— On dit que c'est urgent.

— Un appel en provenance de l'étranger?

— Non, de la ville. Un certain Monsieur Campbell.

Ashley se leva.

— Très bien. Je le prends.

Il s'éloigna à longues enjambées. Selina avait perdu tout appétit.

Quand Ashley revint, son visage était sévère. Il la regarda froidement.

— Il faut que j'aille en ville pour affaires. Tu resteras là jusqu'à mon retour. Je ne serai pas long.

— Je ne peux pas venir avec toi? Que veux-tu que je fasse, toute seule ici?

— Nager, prendre un bain de soleil. Pour l'amour du Ciel, Selina, tu trouveras bien à t'occuper pendant quelques heures!

— Mais j'ai envie d'aller en ville, insista-t-elle.

— Dommage... Tu restes ici. Je ne tiens pas à te savoir seule dans les rues.

Elle se leva. Ses yeux lançaient des éclairs.

— Le fait que nous soyons mariés ne te donne pas le droit de me donner des ordres!

— Si! dit-il fermement.

Il la prit par le coude et la fit rentrer dans la maison, puis dans sa chambre. Elle résistait et se débattait, sans bruit à cause de la présence de Joanna.

— Où est le cadeau que je t'avais donné?

Elle l'avait complètement oublié. Il était dans son armoire, toujours emballé.

— Je vois que mes présents te font plaisir... Tu aurais quand même pu l'ouvrir...

Elle en était désolée et se hâta de défaire le papier. Elle poussa un cri de joie à la vue du bikini qu'il contenait. Il était minuscule, beige clair, imprimé de petites fleurs orange.

— Merci, Ashley.

— Mets-le, ordonna-t-il.

Elle rougit. Avait-il l'intention de rester à la regarder? Il eut un sourire cruel et se dirigea vers la fenêtre, lui tournant le dos.

— Cela va mieux?

Selina se changea rapidement. Avec nervosité, elle lui permit de se retourner.

Il eut un regard approbateur.

— Maintenant, viens me remercier comme il faut... dit-il lentement en lui tendant la main.

Docile, elle traversa la pièce. Elle avait profondément conscience des yeux gris qui l'observaient. Ashley l'attira contre lui et se pencha. Son baiser fut plus câlin que violent, et elle le lui rendit volontiers. Une de ses mains lui caressa doucement le ventre et prit tendrement un de ses seins.

— Tu es ravissante, murmura-t-il contre ses lèvres. Belle, belle Selina... Comment peux-tu m'en vouloir de te garder captive, juste pour le plaisir de mes yeux?

— Faut-il vraiment que tu ailles en ville? demanda-t-elle en jouant distraitement avec un bouton de sa chemise.

— Malheureusement, oui. Ce type, Campbell, a un rapport avec un hôtel dont je négocie l'achat. Je ne peux me permettre de l'offenser. Il est en vacances ici et, comme il a entendu dire que j'étais là, il m'a passé un coup de téléphone.

Il sourit.

— Il ne sait pas, bien sûr, que je suis en voyage de noces... Je me suis arrangé pour garder notre mariage secret.

Selina le regarda en fronçant les sourcils. Aurait-il honte de leur union? Pourquoi refusait-il que les journaux en parlent?

— As-tu l'intention de me cacher aux yeux de tous tes amis? demanda-t-elle, un peu vexée.

Il la regarda avec étonnement.

— Tu aurais envie de rencontrer Campbell? Il n'est pas très amusant, bien que très gentil. Sa seule passion est sa fille, Renata.

— C'est un nom peu courant...

— Sa mère était Allemande.

— Et Renata Campbell est-elle une belle blonde germanique? demanda-t-elle d'une voix contenue.

Il la regarda en plissant les paupières.

— N'aurais-je pas remarqué un peu d'hostilité dans ton intonation?

— De la curiosité, simplement...

— C'est vrai, ironisa-t-il. J'avais oublié! Tu n'es jamais jalouse...

Selina détourna les yeux.

— Seras-tu rentré pour déjeuner?

— Ce n'est pas certain. J'essaierai de m'échapper, mais Campbell risque d'insister et de trouver curieux que je refuse son invitation... Il doit penser que je suis ici avec une petite amie...

— Il doit avoir de bonnes raisons, s'il le croit, répliqua-t-elle sèchement.

Ashley éclata d'un rire plein de séduction.

— Attention, ma chérie. Tu commences à parler comme une femme jalouse. Et ce n'est pas ce que tu veux être, n'est-ce pas?

Il se dirigea vers la porte sans lui laisser le temps de répondre. Puis il s'arrêta, se retourna et fit une petite grimace.

— Tu ne peux pas savoir à quel point cela m'ennuie de te laisser. Tu es absolument délicieuse, ainsi. Je reviendrai le plus vite possible.

Sur ces mots, il s'en fut. Selina se munit d'une grande serviette, du flacon de crème solaire, d'un roman et sortit dans le jardin. Il y avait une balancelle recouverte de cretonne fleurie, au milieu de la pelouse. La jeune femme s'y installa et se mit à lire, profitant avec joie de la paix et du silence matinaux.

Au bout d'un moment, elle s'étira paresseusement et jeta un coup d'œil à sa montre : il était presque midi. Joanna apparut sur la terrasse et lui adressa un large sourire.

— Quand désirez-vous déjeuner, Madame Dent? Je vous servirai quand vous voudrez. Monsieur ne rentre pas?

— S'il n'est pas là, nous commencerons sans lui. Je voudrais seulement de la salade et des fruits. Merci, Joanna.

Durant le repas, elle interrogea la jeune indigène sur sa famille, son mode de vie dans l'île. Puis, se sentant vaguement ensommeillée, elle descendit à la plage. Elle étendit sa serviette sur le sable. Son nouveau chapeau la protégeait du soleil trop violent de ce début d'après-midi.

Lorsqu'elle entendit des bruits de pas près d'elle, elle se retourna, un sourire de bienvenue sur les lèvres, s'attendant à voir approcher Ashley. Ce n'était pas lui. Son sourire se figea quand elle reconnut le jeune homme qu'ils avaient rencontré la veille.

— Oh... Bonjour... dit-elle d'une voix un peu hésitante.

Le visage du garçon s'épanouit.

— Ah! Vous me reconnaissez? Nous nous sommes vus en ville. Je suis Phil Webster...

— Je sais, dit-elle froidement. Vous êtes un ami de mon frère.

Il se tenait debout près d'elle, le regard éperdu d'admiration.

— Dommage que je n'aie pas su plus tôt que Roger avait une sœur aussi ravissante! dit-il carrément. Je lui aurais demandé de m'inviter pour vous être présenté...

Elle rit, amusée de sa franchise.

— Je suis mariée, vous savez, précisa-t-elle. En fait, nous sommes même en voyage de noces.

— Mon Dieu! Vraiment! Nous ne sommes pas passés loin!

— Que voulez-vous dire? s'étonna-t-elle, toujours égayée.

— Si je vous avais connue avant votre mari, ce

pourrait être *notre* voyage de noces, dit-il joyeusement.

Le rire dansait dans les yeux de Selina.

— Vous êtes bien sûr de vous, Monsieur Webster...

— Vous croyez que je ne vous aurais pas plu suffisamment? soupira-t-il. Je pense que je ne suis pas un rival redoutable pour votre mari. Il est plutôt impressionnant, n'est-ce pas?

— A propos, dit-elle gentiment, il va rentrer d'une minute à l'autre. Et s'il vous trouve ici, il risque de se mettre en colère. C'est une plage privée, vous savez...

Phil se pencha vers elle, pas démonté du tout.

— Il ne sera pas de retour si vite, dit-il confidentiellement.

— Qu'en savez-vous?

— Je l'ai vu entamer un déjeuner pantagruélique à l'Hôtel Lorelei, affirma-t-il. Il était avec un vieux bonhomme chauve et une merveilleuse créature blonde... blonde...

Ses yeux cherchèrent à saisir l'expression de Selina.

— Mais pas aussi belle que vous, poursuivit-il en hâte, rassurez-vous...

Selina sentit un pincement de jalousie.

— C'est un déjeuner d'affaires, dit-elle.

Elle se demanda pourquoi elle se croyait obligée d'excuser Ashley. S'il voulait déjeuner avec une créature de rêve, c'était son problème, pas le sien. Cela lui était bien égal. Il pouvait même en avoir des douzaines s'il y tenait... Mais pourquoi ne lui avait-il pas dit que Renata Campbell accompagnait son père? Il devait pourtant le savoir. Etait-ce pour cela qu'il avait filé si vite?

Phil regardait son maillot de bain d'un air extasié.

— Vous allez vous baigner? Cela vous ennuierait-il que je vienne avec vous?

Elle jeta un bref coup d'œil à son T.shirt et à son jean.

— Avez-vous un maillot?

— Oui, en dessous.

Elle haussa les épaules.

— Je suppose que c'est sans importance...

Pourquoi Ashley exigerait-il qu'elle restât seule, alors qu'il déjeunait avec cette époustouflante jeune fille?

En même temps, Selina se disait qu'il ne serait pas désagréable d'attiser sa jalousie. Cela satisfaisait son désir de vengeance. Puisqu'il était avec une jolie blonde... Claire aussi était blonde. Selina l'avait détestée dès le premier regard. Elle avait envié la sensualité sans problème avec laquelle elle pouvait répondre aux désirs d'Ashley, sans crainte ni honte.

Elle se leva et se dirigea vers la mer. Le sable était brûlant sous ses pieds nus. En entrant dans l'eau tellement bleue, elle entendit Phil qui courait derrière elle, en grommelant contre la chaleur du sol.

Ils nagèrent paresseusement ensemble, puis, se tournant sur le dos, firent la planche, les bras en croix. La fraîcheur de la mer était délicieuse.

— Avez-vous déjà remarqué combien les jambes semblent blanches, dans l'eau? demanda le jeune homme en contemplant avec un plaisir non dissimulé le corps gracieux de Selina. Est-ce une illusion d'optique, à votre avis? Ou bien est-ce à cause du sel?

Elle se mit brusquement à nager de toutes ses forces vers la plage, en jetant par-dessus son épaule :

— Je n'en ai aucune idée... Faisons la course!

Il la rattrapa bien vite, puis la dépassa en souriant.

Il la regarda sortir de l'eau, les yeux brillants, ses cheveux mouillés retombant en désordre sur son front.

— Quel est le prix? demanda-t-il avec quelque impertinence. Il y a toujours une récompense pour le vainqueur...

Elle ramassa une algue d'une couleur indéterminée et la lui jeta.

— Oui, voilà!

Elle lui arriva en plein visage. Tandis qu'il s'en dégageait, Selina remonta la plage en courant. Son rire s'égrenait, léger. Elle ramassa sa serviette au passage et arriva à la petite porte en bois.

Phil la rejoignit et glissa son bras autour de la taille de la jeune femme.

— C'était un sale tour... Vous me devez un baiser pour cela!

Selina fut brusquement en colère et elle le gratifia d'un regard glacial.

Mais avant qu'elle eût pu prononcer un mot, une autre voix lança sauvagement :

— Que se passe-t-il donc ici?

Phil la relâcha, soudain très pâle.

— Désolé, balbutia-t-il nerveusement... Je... C'était pour s'amuser...

Tournant les talons, il s'en fut en courant comme un lapin.

Lâche... pensa Selina en voyant avec dédain sa silhouette disparaître. Il l'avait laissée se débrouiller seule. Elle se retourna vers Ashley. Son cœur fit un bond devant le visage que lui présentait son mari.

Il y avait plusieurs jours qu'elle ne l'avait pas vu en colère. La violence se lisait dans ses yeux, comme autrefois. Son corps entier était tendu et comme prêt à bondir et à tuer.

Selina le regarda d'un air las. Elle passa une main tremblante dans sa chevelure mouillée.

— Je l'ai trouvé sur notre plage... Il n'est pas resté longtemps.

— Assez longtemps! aboya-t-il. Que se serait-il passé si je n'étais pas arrivé?... Tu es seule avec lui depuis une heure. Pas plus, car je l'ai vu en ville, et il lui a fallu le temps de venir jusqu'ici. Mais apparemment, cela suffit pour qu'il puisse t'embrasser sans que tu y opposes la moindre résistance...

— Il ne m'a pas embrassée! démentit-elle avec énergie.

— Il allait le faire!

— Je ne l'aurais pas laissé...

— Ce n'est pas ce qu'il m'a semblé... s'écria Ashley d'une voix qui tournait à la fureur la plus noire. Il m'a paru au contraire que tu attendais, offerte...

— Ce n'est pas vrai!

Elle rougit violemment. Ashley lui saisit le poignet entre ses doigts cruels.

— Je dois être fou, dit-il comme pour lui-même. Je patiente, j'attends que tu viennes à moi... Et un petit crétin arrive, et tu lui tombes dans les bras comme un fruit mûr...

— Ashley, tu es injuste!

Il ne parut pas avoir entendu. Il souleva Selina dans ses bras, traversa le jardin et se dirigea vers la maison. Joanna sortait sur la terrasse et elle parut rayonnante de les voir ainsi. Mais elle s'étonna de voir Ashley passer devant elle sans un mot, emportant Selina dans sa chambre par la porte-fenêtre. Il la referma derrière lui d'un violent coup de pied. Puis il jeta sa femme sur le lit comme un vulgaire paquet. Ensuite, il alla à la porte qu'il ferma à clé.

— Ashley...

Le nom s'étrangla dans sa gorge. Elle le vit commencer à se déshabiller devant elle, le masque dur.

Sautant du lit, elle se précipita à la fenêtre pour sortir sur la terrasse. Mais il fut dans son dos avant qu'elle n'y parvînt. Il la serra contre lui, les mains dures et sans pitié. Elle sursauta en sentant la peau tiède et nue contre elle. Il la retourna pour qu'elle lui fît face et attrapa une poignée de ses cheveux.

— Je t'en supplie... pria-t-elle faiblement... Pas ça... Je suis mouillée... Que va penser Joanna...

Soudain, elle poussa un sauvage cri de protestation.

— Non, Ashley!

La bouche de son mari prit possession de la sienne, forçant l'ouverture de ses lèvres. Ses mains la caressaient par tout le corps avec désir. Elle sentit un frisson la parcourir. Elle émit une petite plainte lorsqu'il dégrafa son soutien-gorge, en fit glisser les bretelles et lui enleva son slip. Du plus profond d'elle-même montait une vague de désir qui engloutissait tout le reste.

Il perçut son changement d'attitude, et ses caresses se firent plus douces. Il la prit dans ses bras, et elle ne tenta pas de se dérober. Elle levait le visage vers lui, offerte à ses baisers, les mains nouées derrière sa nuque.

Il la déposa délicatement sur le lit et se laissa tomber près d'elle. Il promena ses lèvres sur les seins de la jeune femme, en un lent et chaud mouvement. Selina, complètement hors d'elle, caressait les cheveux noirs comme pour retenir sa tête contre elle.

Il se redressa et embrassa de nouveau sa bouche. Leurs corps étaient étroitement serrés l'un contre l'autre. Le désir de Selina devenait violent, douloureux. Seul, l'abandon pourrait le satisfaire. Aveuglée par une passion qui lui était jusqu'alors inconnue, elle ouvrit la bouche contre la sienne. Elle le caressait ardemment.

— Dis que tu as envie de moi, murmura-t-il. Je veux l'entendre...

— J'ai envie de toi... fit-elle faiblement.

Elle avait oublié comment cela avait commencé. La rage, la sauvagerie, tout avait disparu. Pour la première fois de sa vie, elle était sourde à tout ce qui n'était pas son corps et ses exigences brûlantes. Et seul Ashley pouvait les assouvir.

Il poussa un long soupir qui sembla le vider complètement. Il resta sans bouger, la tête contre sa poitrine, respirant profondément. Elle entendait son cœur battre si fort qu'elle en fut presque effrayée. Soudain, il se redressa sur un coude.

— Je t'ai promis de ne pas te violer, dit-il d'une voix rauque. C'est ta dernière chance. J'ai encore un peu de lucidité. Si tu n'es pas sûre de vouloir, dis-le-moi, je sortirai de cette pièce avant de perdre mon contrôle.

Elle le regarda et passa le bout de sa langue sur ses lèvres. Elle essayait d'analyser ses sentiments. Pendant un moment, elle avait oublié tout ce qui n'était pas lui. Pourquoi s'était-il arrêté, jetant le trouble dans son esprit?

— Pour l'amour du Ciel, Selina, éclata-t-il les yeux rivés sur le petit bout de langue rose. Décide-toi ou je vais devenir fou...

Elle ferma à demi les yeux pour ne plus voir ce visage sombre et troublant.

— Comment veux-tu que je réfléchisse lorsque tu me regardes ainsi?

— Selina... Oh! Dieu!...

Sa bouche s'écrasa de nouveau sur la sienne avec une telle passion qu'elle eut un hoquet. Ce baiser l'enflamma tout entière, et elle tremblait désespérément de désir et de plaisir. Contre ses lèvres, il chuchota:

— Ne refuse pas cette fois-ci... laisse-moi t'aimer, chérie...

Sans attendre de réponse, il se mit à parcourir son corps de petits baisers légers comme des papillons. Elle était de plus en plus excitée. Lorsque sa bouche descendit plus bas, murmurant son nom entre chaque baiser, elle fut emportée dans un tourbillon de joie et de désir inattendus. Sa tête roulait de droite à gauche. Sa bouche était ouverte sur un gémissement continu de plaisir.

La sauvagerie de la possession sexuelle qu'elle avait tant redoutée était bien loin de cette tendresse experte et attentive. La douceur de sa bouche la rendait folle.

— Chéri... chéri... murmurait-elle inconsciemment, perdue dans son amour pour lui.

Soudain son corps se raidit de douleur.

Les vagues d'une panique glaciale l'envahirent. La bouche d'Ashley était sur la sienne. Mais le doux corps ondulant et consentant dans lequel il avait pénétré se débattait maintenant pour reprendre sa liberté, à coups de griffes et de dents. Elle sanglotait, griffant les épaules de l'homme, et essayait de tout son corps de le rejeter. Elle ne voyait plus en lui celui qu'elle aimait. C'était un assaillant, un ennemi cruel et sans visage, dont l'attaque la plongeait dans la terreur la plus totale.

Elle gémissait, le suppliant d'arrêter, d'une voix brisée de peur et de haine. Mais il était la proie de son instinct primitif. Il la maintenait sauvagement sous lui. Elle entendait le sourd battement de son cœur, l'agonie qui rendait son souffle rauque, et, au-dessus d'eux deux, sa voix qui répétait inlassablement son nom...

Puis elle fut libre, tremblante, sanglotante, pleine d'une rage incrédule. Elle roula loin de lui. Elle détesta le son de sa respiration qui revenait à un rythme normal.

Au bout d'un moment, il lui toucha doucement l'épaule. Elle se secoua pour chasser sa main.

— Ne me touche pas!

— Selina...

— Je te hais... Ne t'approche plus jamais de moi, où je te tue!

Il resta un instant silencieux et immobile. Puis :

— Je suis désolé, moi aussi, Selina. Je n'aurais pas voulu que cela se passât ainsi. Je t'avais avertie de ne pas jouer avec mes sentiments. Hier après-midi, et puis cette nuit, tu m'as délibérément invité à te faire l'amour...

— Non! hurla-t-elle.

— Mais de quoi crois-tu donc que je sois fait? De pierre?

— Tu m'as fait mal! reprocha-t-elle d'une voix plus basse, amère.

— Je sais, ma chérie. Je ne pouvais pas faire autrement. La prochaine fois...

— Il n'y aura pas de prochaine fois! Plus jamais je ne te laisserai me toucher!

Il la retourna vers lui et la regarda avec mépris.

— Nous avons fait un marché, souviens-toi. J'aurais continué à patienter le temps qu'il fallait. Mais je ne suis pas capable de regarder ma femme flirter avec un autre; surtout si elle refuse de consommer notre mariage!

— Tu m'avais promis que tu ne me forcerais pas, rappela-t-elle. Je ne voulais pas...

— Je le pensais alors, dit-il grimaçant. Mais c'était avant que je ne réalise que tu te servais de moi pour exercer une vengeance sur la race masculine tout entière. Tu m'excitais et tu me rejetais au dernier moment... Tu pensais arriver à m'amener exactement là où tu voulais, n'est-ce pas?

— Tu n'as pas le droit de dire cela!

— Vraiment? fit-il, une lueur meurtrière dans le regard. Oserais-tu prétendre que tu ne m'as pas allumé la nuit dernière, jusqu'à la folie? Avec la ferme intention de ne pas me laisser aller plus loin que quelques baisers?

Selina était rouge de colère. Pourtant, intérieurement, elle se sentait vaguement gênée. C'était un peu vrai : elle s'était senti un énorme pouvoir sur cet homme aux yeux assombris de passion, au souffle court, tandis qu'il l'embrassait... Pourtant, elle n'avait pas eu l'intention délibérée de le provoquer ni de se moquer de lui. Elle était aussi ardente que lui. Son corps tout entier prenait feu sous ses mains.

— Tu essayes de contre-attaquer pour me faire oublier la façon dont tu as rompu ta parole... accusa-t-elle.

— Je n'y avais pas pensé une seconde avant de voir comment tu te tenais devant ce jeune imbécile, l'invitant à t'embrasser, répondit-il amèrement. J'imagine que tu as joué le même jeu avec lui... Une comédie plutôt moche, tu ne crois pas?... Et, il y a un instant, tu répondais avec passion, jusqu'à ce que je te prenne... Si tu avais aussi peur que tu le prétends, tu m'aurais arrêté bien avant que je n'en arrive là...

— Je... je ne croyais pas que cela faisait aussi mal...

dit-elle d'une toute petite voix, les yeux pleins de détresse.

— Tu veux dire que tu ne t'attendais pas à ce que j'aille aussi loin! fit-il, mordant. Que s'est-il passé, Selina? Pour une fois, aurais-tu été emportée par tes sens? Le contrôle que tu exerces sur toi-même se serait-il juste un peu relâché, le temps pour moi d'atteindre le point de non-retour?

— Arrête! cria-t-elle. Je ne suis pas ainsi!

— Crois-tu?... Il faudra me le prouver, ma chère.

Elle se demanda ce qu'il voulait dire. Avec désespoir, elle le regarda se lever et se rhabiller. Elle sentit avec honte son propre corps se raidir, consciente de la puissante sexualité qui émanait de cet homme. Elle détourna rapidement son regard de la longue anatomie virile et musclée.

Il acheva de se vêtir et la dévisagea, menaçant, les mains enfoncées profondément dans ses poches.

— Regarde-toi dans la glace. Tu y verras l'image d'une femme à qui l'on vient de faire passionnément l'amour. Et c'est ce que tu es. Ce n'était ni dégoûtant ni ignoble. C'était naturel et beau. Un acte d'amour, que nous avons vécu tous les deux.

— *Nous?* ne put-elle s'empêcher de répéter.

Elle regretta immédiatement ce mot. Mais c'était trop tard. Le visage d'Ashley s'empourpra, et Selina se rendit compte qu'elle avait heurté son orgueil de mâle.

— Très bien... Je suis le seul responsable de ce qui vient de se passer, si tu préfères voir les choses sous cet angle. Tu n'as fait que subir, immobile et passive, mes assauts répugnants... Mais si tu te figures qu'ainsi, tu as honoré notre contrat, laisse-moi te dire que tu te fais des illusions. Dix millions me paraissent un prix exorbitant pour le plaisir de faire l'amour une seule fois avec toi, aussi agréable que ce soit...

Les yeux gris se posèrent sur elle, sur sa bouche gonflée et légèrement meurtrie par les baisers, suivirent la courbe de ses épaules nues et dorées, s'attardèrent sur sa poitrine et ses cuisses... Selina faiblissait sous son regard où il laissait volontairement transparaître un mélange de mépris et de désir.

— Tu m'appartiens, tu es à moi...

Il jetait les mots avec sauvagerie.

— Je ne te laisserai jamais plus me quitter. A partir de maintenant, je te prendrai où et quand je le déciderai. Et tu céderas sans protester.

Il l'affronta du regard, la mettant au défi de le contredire.

— Tu as bien compris? conclut-il sèchement.

— Attends-tu de moi qu'en plus, j'y prenne du plaisir? demanda-t-elle amèrement.

Il se pencha vers elle et la mit debout, la soulevant de ses mains cruelles. Il l'écrasa contre lui et viola sa bouche, utilisant toute sa force. Elle se débattait, tentait de rejeter la tête en arrière... Mais le baiser se fit plus lent, plus profond, plus tendre contre ses lèvres meurtries. Et, pour son plus grand dégoût, elle se sentit de nouveau devenir faible, consentante, participante... Elle le désirait encore.

Lorsqu'il releva enfin la tête, toute sa personne respirait le triomphe. Une lueur moqueuse dansait dans les yeux gris.

— Oui, dit-il âprement, tu y prendras du plaisir aussi...

Selina tremblait, les joues en feu. Elle arracha le drap du lit, et s'enroula dedans. Elle évitait de croiser son regard.

— Nous sortons, ce soir, dit-il en l'observant intensément. J'ai préféré annoncer notre mariage à M. Campbell, et il a émis le souhait de faire ta connaissance. Habille-toi soigneusement...

Il jeta un coup d'œil à sa garde-robe.

— ... cette petite chose fera l'affaire...

Selina vit la robe de mousseline qui pendait juste devant la porte.

— Je la portais hier soir...

— Je le sais bien, dit-il doucement. Elle te va à merveille, et tu en es consciente.

Il se dirigea vers la porte, et la déverrouilla.

— La fille de M. Campbell sera-t-elle des nôtres, ce soir?

Un sourire ironique étira les lèvres d'Ashley.

— Oui, dit-il légèrement... Elle sera là.

6

L'Hôtel Lorelei était un grand bâtiment blanc, rappelant le style colonial américain. De hautes colonnes supportaient le toit de la terrasse. Des fauteuils en rotin faisaient cercle autour des tables basses. Les pelouses verdoyantes étaient arrosées de jets d'eau. Des massifs de fleurs éclataient de couleurs vives. Il y avait dans l'air une atmosphère détendue et oisive. Des touristes se reposaient au bord de l'immense piscine.

— On dirait un décor de film... fit remarquer Selina.

Ils étaient assis dehors, face à la piscine. Parmi les baigneurs, elle repéra Phil Webster. Il l'avait vue aussi, et détournait ostensiblement les yeux. Visiblement, la présence intimidante d'Ashley au côté de sa femme était trop pour lui...

— Ton... ami... a l'air bien décidé à nous ignorer, se moqua Ashley. On dirait que tu attires les lâches... Il me rappelle ton frère.

— La discrétion n'est pas un défaut, répondit-elle en haussant les épaules. Je suppose qu'il doit se sentir un peu gêné.

— Il y a intérêt! S'il s'approche de nouveau de toi, je lui brise la nuque.

Une voix s'éleva derrière eux, et ils se retournèrent en même temps. Selina n'accorda qu'un bref regard à l'homme d'un certain âge qui s'approchait, les mains tendues. Elle reporta son attention sur sa compagne, avec un pincement d'appréhension.

Ce qu'elle vit ne fit qu'amplifier son inquiétude. Renata Campbell était une jeune fille resplendissante. Elle était blonde et hâlée, avec d'immenses yeux bleus, de longues jambes et un sourire caressant qui s'adressait pour l'instant ostensiblement à Ashley.

— Monsieur Campbell, je suis heureux de vous présenter à ma femme. Selina, voici M. Campbell qui a eu la gentillesse de nous prier à dîner.

Il tenait sa femme par le coude pendant cette présentation. Ce geste léger mais possessif montrait de toute évidence qu'il considérait Selina comme sa propriété. Son attitude au côté de sa femme, sans cesse attentif à sa présence, renforçait encore cette impression. Le regard de Renata se durcit en se posant sur elle.

Selina releva le menton, sourit et serra la main de M. Campbell. Puis elle se tourna vers Renata. La main de la jeune fille était molle, dans la sienne, et fuyante.

— Nous ne savions absolument pas qu'Ashley était marié... Sinon, nous ne lui aurions jamais téléphoné, dit M. Campbell, le crâne luisant sous le soleil.

Il avait la même couleur d'yeux que sa fille, et un chaud sourire adoucissait les traits plutôt austères de sa physionomie.

— Renata m'accuse toujours de ne penser qu'au travail, poursuivit-il. Mais je n'aurais tout de même pas osé troubler une lune de miel... C'est pour m'en excuser en personne que je vous ai invitée avec votre mari, Madame Dent. Nous disparaîtrons ensuite de votre vie, je vous le promets...

— J'espère bien que vous n'en ferez rien, répliqua Ashley, sur le même ton de politesse cordiale. Lorsque nous serons rentrés à la maison, je souhaite que vous nous fassiez le plaisir de venir dîner chez nous.

M. Campbell se mit à rire.

— Vous êtes très indulgent, Ashley. Je ne crois pas

que je saurais me montrer aussi aimable avec un homme qui me dérangerait en plein voyage de noces... Surtout si j'avais une femme aussi charmante que la vôtre!

Il eut un sourire admiratif en direction de Selina.

— Quelle curieuse chevelure, dit Renata doucement. Je n'avais jamais vu cette couleur auparavant...

Elle regardait Selina, glaciale. Le sous-entendu était évident : elle soupçonnait les cheveux d'or roux de la jeune femme de tout devoir à la teinture...

Selina lui adressa un bref sourire.

— Merci... répondit-elle, feignant de prendre cette remarque pour un compliment.

— Si nous prenions l'apéritif? proposa M. Campbell, un peu anxieux à l'idée de ce que sa fille pourrait bien ajouter. Madame Dent, puis-je me permettre?

Il offrit aimablement son bras à Selina. Renata se glissa au côté d'Ashley et se pendit à son bras, avec un sourire engageant.

Selina remarqua qu'elle avait une mobilité d'expression étonnante. Pour Ashley, elle rayonnait littéralement. Mais, dès qu'elle se tournait vers elle, toute chaleur disparaissait de son visage.

La présence de M. Campbell n'était-elle qu'une coïncidence, réellement? Renata n'avait-elle pas eu vent de la présence d'Ashley dans l'île, à défaut d'être au courant de son mariage? Peut-être l'avait-elle poursuivi jusqu'ici dans le but de faire plus ample connaissance... Elle avait dû ressentir un grand choc en apprenant qu'il n'était plus libre...

Le bar était discrètement éclairé. Il était décoré de palmiers en pots, de coquillages, de filets de pêche accrochés aux murs. L'atmosphère était à la fois exotique et un peu irréelle.

M. Campbell s'empressa auprès de Selina, l'installa confortablement dans un profond fauteuil de cuir blanc. Renata s'assit en face, sur un canapé à haut dossier, et tapota la place libre à côté d'elle, avec un sourire pour

Ashley. Il se posa tout près, sa cuisse contre la longue jambe fine de la jeune fille. Il jeta un coup d'œil sarcastique à Selina, mais celle-ci évita son regard et se tourna avec un sourire vers M. Campbell.

Un serveur vint prendre la commande.

— Votre robe est absolument ravissante, dit le vieux monsieur, tandis que le garçon s'éloignait. Elle vous va à merveille... Elle est de la même couleur que votre peau.

Selina se mit à rire.

— Je serai bien plus brune, quand nous rentrerons en Angleterre. Le soleil est si chaud, ici...

— Avec le teint que vous avez, vous ne devriez pas trop vous exposer, vous savez... Quoique vous soyez déjà si bronzée que vous ne risquez plus grand-chose.

Renata parlait avec Ashley à voix tellement basse que Selina ne pouvait saisir aucune de ses paroles. Il y avait une complicité, une intimité si évidente entre eux que la jeune femme serra les dents de colère. Il le faisait certainement exprès.

Elle dégusta lentement son apéritif, en écoutant M. Campbell sans vraiment l'entendre. Elle était tout entière absorbée par le couple qui lui faisait face, bien que, pas une fois, elle ne regardât dans leur direction. Des sortes d'antennes lui permettaient de percevoir chaque intonation, chaque mouvement, si léger fût-il, entre eux. Elle était profondément amère. Elle en voulait terriblement à Ashley de son comportement.

Ensuite, ils discutèrent du menu, choisirent leurs plats et terminèrent leurs verres. Dix minutes plus tard, le maître d'hôtel vint les chercher pour leur indiquer leur table.

En entrant dans la salle à manger brillamment éclairée, Selina reçut en plein visage le regard d'un étranger installé au fond de la pièce. En une fraction de seconde, elle fut envahie par une sensation de répulsion et ressentit un grand choc.

Le fin visage bronzé couronné de cheveux argentés, l'air d'autorité naturelle, lui étaient horriblement familiers. Tout cela se lut dans ses yeux agrandis, posés sur l'homme qui l'observait.

Puis elle se détourna et suivit ses compagnons. M. Campbell se montra de nouveau extrêmement courtois et prévenant. Elle prit place à table. Ses mains tremblaient tandis qu'elle dépliait sa serviette. Ses lèvres étaient sèches...

Ashley s'en aperçut. Il fronça les sourcils, et ses yeux se rétrécirent. Il jeta un vif regard inquisiteur dans la salle. Puis il la regarda de nouveau, interrogateur, cherchant une explication. Selina se sentit pâlir. Ses doigts tremblants étaient glacés. Elle s'accrocha au rebord de la table.

Malgré la boule qu'elle se sentait au fond de la gorge, elle tenta d'avaler quelque chose. Mais les mets les plus fins lui semblaient avoir un goût de poussière, et son cœur se soulevait à chaque bouchée.

Soudain, elle leva les yeux. Le dîneur avait repoussé sa chaise et il se dirigeait vers eux. Selina avait les nerfs noués d'angoisse et d'appréhension. Elle se détourna. L'homme ralentit en arrivant à la hauteur de leur table, les yeux fixés sur le visage de la jeune femme. Ashley posa sa fourchette, dévisageant intensément sa femme.

L'étranger s'arrêta près d'eux.

Selina s'obligea à ne pas se tourner vers lui, mais son insistance fut la plus forte. Elle leva lentement la tête, et leurs regards se croisèrent.

Elle sentait son cœur battre à grands coups douloureux. Ses grands yeux terrifiés étaient suppliants.

Il salua légèrement, le visage indéchiffrable.

— Bonsoir, Selina, dit-il doucement.

Puis, sans un regard pour ses compagnons, il s'éloigna et sortit de la salle à manger.

Selina baissa le nez dans son assiette, les lèvres

tremblantes. Elle sentait sur elle le regard d'Ashley et en devinait l'expression.

Renata Campbell saisit instantanément la tension qui régnait.

— Un de vos amis, Madame Dent? demanda-t-elle avec perfidie.

Selina s'obligea à lever les yeux. Un sourire sans joie détendit sa bouche.

— Pas exactement, dit-elle d'une voix étouffée. Je... je l'ai rencontré une fois, il y a des années...

— Vous lui avez visiblement fait une forte impression...

Renata émit un petit rire cristallin.

— Je n'en suis pas surpris, intervint M. Campbell avec un bon sourire. Son visage ne m'est pas inconnu. Que fait-il, Madame Dent? C'est un acteur, non? Il a ce genre de physique...

— Il est plutôt séduisant, dans le genre austère... commenta sa fille.

Elle regarda Ashley de biais, avec un sourire un peu moqueur.

— Si j'étais en pleine lune de miel, je n'aimerais pas la façon dont il regardait Mme Dent... Malgré son air rigide, j'ai l'impression qu'il apprécie fort votre femme, Ashley...

Selina tentait désespérément d'éviter les yeux de son mari. Elle sentait sur elle l'insistance de son regard. Pourtant il prit la parole d'une voix lente et calme.

— S'il fallait que je me soucie de tous les hommes qui regardent mon épouse, je serais perpétuellement hors de moi, dit-il.

Renata se mit à rire.

— C'est une attitude fort civilisée... Je ne crois pas que j'aimerais avoir un mari aussi complaisant...

Selina ne fut pas dupe de la légèreté avec laquelle Ashley avait éludé le sujet. Elle savait qu'il était furieux.

Le sommelier vint remplir leurs verres, et la conversation changea de cours.

Selina parvint à avaler un peu de ce qu'on lui apportait, sachant parfaitement qu'un total manque d'appétit aurait provoqué des commentaires. A présent, elle était reconnaissante à Renata de retenir l'attention d'Ashley. Tant qu'il bavardait avec la jeune fille, il cessait de l'observer.

Il fallait que le destin fût bien cruel pour avoir voulu que cet homme se trouvât là, justement ce soir. Selina était stupéfaite qu'il l'eût reconnue et qu'il se fût souvenu de son nom.

Il devait avoir une mémoire fantastique. Elle avait pourtant changé, depuis tant d'années. Et il l'avait reconnue au premier coup d'œil. Elle aussi, bien sûr. Mais elle avait de bonnes raisons de se rappeler chaque ligne de son visage. Et aussi de le haïr plus que personne au monde.

Les yeux froids et cruels, le léger rictus de sa bouche, la belle voix impitoyable, tout lui était douloureusement familier. Elle avait rêvé de lui pendant des années. Un instant, le voyant traverser la pièce, elle s'était crue retombée dans un de ces cauchemars infernaux et elle en avait eu des sueurs froides dans le dos.

Ils finirent enfin de dîner, et M. Campbell regarda sa montre.

— Je sais bien que vous nous avez déjà consacré beaucoup de votre temps, mais je serais très heureux que nous buvions un dernier verre ensemble.

Ashley était tendu.

— C'est très gentil à vous, mais...

Renata intervint vivement.

— Oh, je vous en prie... Vous ne pouvez pas nous quitter déjà. Il est encore tôt, et il y a un orchestre fabuleux ici, à la « Grotte ». Je n'ai pas de cavalier, et j'aimerais tant danser un peu...

Selina vit Ashley baisser les yeux sur la jeune fille avec un léger sourire.

— Comment résister à une telle invitation?

Stupidement, la jeune femme fut partagée entre la jalousie et le soulagement. Plus tard elle se retrouverait seule avec son mari, mieux cela vaudrait. Elle ne pourrait pas se dérober à ses questions. Pourtant, elle n'avait aucune envie de parler de cet étranger qui lui était, à elle, si familier...

La « Grotte » était une salle octogonale. Les mêmes canapés de cuir blanc que dans le bar couraient le long des murs. Le centre de la salle était réservé à la danse, et, sous un dais, un groupe de musiciens jouaient un air entraînant.

Ils trouvèrent une table. M. Campbell, d'un claquement de doigts, appela le garçon. Renata se leva.

— Commande pour nous, Papa, demanda-t-elle en tendant la main vers Ashley. Venez danser...

Son regard était chaud et engageant.

Selina eut mal en la voyant se couler contre lui et s'éloigner entre ses bras. Son corps semblait épouser le sien, et la chevelure blonde était tout contre la joue de l'homme. Celui-ci, par-dessus la tête de sa danseuse, jeta un regard à Selina. Elle se détourna, les cils baissés sur ses joues dorées.

— Ne vous en faites pas, au sujet de Renata, commença M. Campbell, un peu mal à l'aise. C'est une enfant gâtée, mais elle est inoffensive. Elle flirte avec tous les hommes qu'elle rencontre... Cela ne veut rien dire!

— Bien sûr! répondit Selina avec un sourire poli.

On leur apporta leurs consommations, et la jeune femme se mit à boire en regardant l'orchestre. Pourtant, c'était son mari qu'elle aurait voulu observer. Mais elle ne voulait pas lui donner cette satisfaction! Puisqu'il désirait la punir en faisant la cour à Renata, jamais il ne percevrait une ombre de jalousie dans les yeux de sa femme!

M. Campbell lui parlait affaires. Il lui raconta sa dernière aventure en éclatant de rire. Selina écoutait avec courtoisie, mais distraitement.

La musique terminée, Ashley et Renata regagnèrent leur table. La jeune fille était rose d'animation, ses yeux brillaient.

— Je n'ai jamais eu de meilleur danseur que vous! s'écria-t-elle en posant sa main sur le genou d'Ashley.

Selina ne put s'empêcher de regarder la petite main fine et bronzée qui s'attardait sur son mari. Elle leva la tête et croisa le regard des yeux gris. Il ne fit aucun effort pour bouger ou déloger la main audacieuse.

La musique reprit, et Renata posa son verre et se leva.

— Vous venez?

— Renata! s'interposa M. Campbell, choqué. Mᵐᵉ Dent veut danser avec son mari!

Renata fit une moue boudeuse. Elle jeta un regard d'animosité à Selina. A cet instant, un nouveau venu apparut à leur table. Le visage impénétrable, il s'inclina devant la jeune femme.

— M'accorderez-vous cette danse?

Elle eut l'impression d'avoir reçu un coup. Elle voulait refuser, mais n'osait pas. Elle se leva lentement et se dirigea avec lui vers la piste de danse.

Lorsqu'il encercla sa taille, elle frissonna, comme en proie à un cauchemar.

Il baissa les yeux vers elle.

— Ne me regardez pas ainsi, dit-il de sa belle voix froide. Je sais quels sont vos sentiments pour moi. Mais il y a des années que je désire vous revoir afin de vous dire combien j'ai regretté la façon dont je vous avais traitée.

Elle arrivait à danser, suivant machinalement les

mouvements de son partenaire. D'une voix rauque et tendue, elle dit :

— Seriez-vous par hasard en train de me présenter des excuses, Sir Daniel?

— Oui, répondit-il doucement. Et j'essaie de me justifier. C'était la plus évidente... en fait, la seule tactique de défense. Vous vous êtes bien douté que mon client lui-même l'a mise en avant. D'abord, je n'étais pas sûr qu'il dît la vérité. J'ai voulu garder l'esprit ouvert...

— Je n'avais que seize ans! cria-t-elle tout bas. Comment avez-vous pu croire un tel mensonge?...

Il grimaça un sourire.

— Mon enfant, soyez sûre que l'âge n'a rien à y voir. Il est bien connu que les adolescentes sont provocantes. Il était possible qu'il dît vrai. Je n'avais rien d'autre à savoir. Pour défendre correctement mon client, je devais détruire votre théorie.

— Vous m'avez pratiquement détruite moi-même, dit-elle avec amertume.

Leur conversation à mi-voix était si intense, si émouvante, que les autres danseurs les regardaient avec curiosité. Selina rougit brusquement en croisant le regard froidement observateur d'Ashley, à quelques mètres d'elle. Il dansait de nouveau avec Renata. Leurs corps se mouvaient en parfaite harmonie. Mais il devait guetter sa femme depuis un bon moment. Avait-il pu saisir leurs paroles? Savait-il qui était Sir Daniel? Il avait lu un reportage sur le procès, il le lui avait dit. Peut-être se rappelait-il que Sir Daniel était l'avocat de la défense...

Celui-ci baissa les yeux vers elle et lui dit doucement :

— A la fin de l'audience, je savais que vous étiez innocente. C'est devenu alors pour moi, comme pour le jury, une évidence.

Selina le regarda, des cauchemars hantant ses prunelles dilatées.

— Avez-vous une idée de ce qu'ils m'ont fait?... Ces regards sur moi... cette curiosité... ces questions sans fin... J'avais l'impression...

Sa voix se brisa.

— ... que je vous avais déshabillée en public? poursuivit-il calmement.

Elle sursauta et rougit violemment.

— Oui! murmura-t-elle, la voix rauque, tremblante.

Il l'avait attirée en dansant au bord de la piste. Il glissa sa main sous son bras, et l'entraîna vers le hall. La plupart des gens étaient en train de dîner ou de danser. Le hall était désert. Sir Daniel la mena jusqu'à une alcôve discrète. Il s'assit près d'elle sur un canapé.

Selina appuya sa tête contre le dossier de cuir et ferma les yeux. La plus grande confusion régnait dans son esprit. Au bout d'un moment, elle se rappela la silencieuse présence de Sir Daniel à son côté et souleva les paupières pour le regarder. Il l'observait attentivement, l'air préoccupé.

— Je comprends, vous savez, dit-il en souriant. Pensez-vous que c'était le premier cas de cette sorte que je traitais? Ou le dernier? Si je me souviens de vous avec une telle acuité, c'est à cause de votre extraordinaire beauté et des tragiques circonstances... La mort de votre mère, survenant tout de suite après le procès... La façon dont cette brute vous avait frappés, vous et votre frère...

— C'était un homme abject, dit-elle d'une voix sourde. Pourquoi avez-vous accepté de le défendre?

Il haussa les épaules.

— Je ne peux pas choisir mes causes sur des critères personnels. En fait, beaucoup me déplaisent. Lorsque je défends un meurtrier, croyez-vous que ce soit par affection, ou parce que je crois en lui?

— Pourquoi vous occupez-vous d'eux? demanda-t-elle avec colère.

— Parce qu'ils ont, au regard de la loi, les mêmes droits que n'importe quel citoyen, expliqua-t-il paisiblement. Ils doivent avoir un avocat. En tant que représentant de mon client, je parle en son nom. Je dis à la cour ce qu'il souhaite que je déclare. S'il ne tient pas compte de mes conseils, je n'y peux rien, puisque c'est lui qui parle à travers moi.

— Vous rendez les choses très simples...

Elle était irritée de se laisser impressionner par son argumentation, alors qu'elle aurait voulu continuer à le haïr comme elle le faisait depuis des années...

Il lui sourit, et elle en ressentit une curieuse sensation. Elle avait l'impression qu'il lisait en elle et percevait chaque nuance de ses sentiments. Il avait une façon tellement calme, contenue, de s'exprimer... Quel contraste avec sa voix de prétoire, à la fois glaciale et implacable!

On avait l'impression qu'il y avait deux personnalités distinctes en lui. Un homme courtois, civilisé; et puis cet être cruel, sadique, qui l'avait cinglée de paroles blessantes, la laissant humiliée et sans défense au milieu de cette salle pleine de monde...

— Je vous ai détesté pendant des années, dit-elle soudain.

Les yeux d'eau pâle ne trahirent aucune surprise.

— J'en étais sûr... Votre regard me le disait suffisamment, à cette époque. Vous savez haïr, Selina... Je vous ai cherchée, après le procès... je voulais obtenir votre pardon.

Il eut un curieux petit sourire.

— C'était la première fois que je me sentais tellement concerné... J'en fus surpris moi-même. J'ai découvert la mort de votre mère, mais vous vous étiez évaporée, ainsi que votre petit frère. Qu'avez-vous fait pour vivre? J'ai été très inquiet pendant longtemps.

Elle soupira, le visage empli de souvenirs poignants.

— Un ami nous a aidés... Il possédait une boîte de nuit et m'a offert du travail.

Les sourcils de Sir Daniel se rejoignirent en une expression sinistre, hélas, trop familière à Selina.

— Je vois... dit-il sèchement.

Elle lui jeta un regard moqueur.

— Vous tirez des conclusions hâtives, Sir Daniel...

Un instant, son visage resta indéchiffrable. Puis un charmant sourire vint adoucir ses traits froids et austères.

— Quel soulagement d'entendre cela, Selina! Voyez-vous, le souvenir des circonstances, celui de votre regard stupéfiant me faisaient redouter que vous ne fassiez quelque bêtise... Je l'aurais terriblement regretté!

Elle s'amusa de sa façon délicate de présenter les choses

— Vous avez craint que je ne me prostitue, Sir Daniel?

Un éclair de gaieté le traversa.

— Quelque chose comme cela... Qu'êtes-vous devenue finalement?

— Chanteuse... Mais, à présent, je suis mariée.

Il se pencha, scrutant attentivement son visage.

— Lequel des deux hommes qui vous accompagnent ce soir est votre mari?

Elle baissa les yeux, ses longs cils faisant une ombre sur la douceur de ses joues.

— Devinez, Sir Daniel... plaisanta-t-elle.

— J'espère que ce n'est pas le plus âgé, dit-il sèchement. Il pourrait être votre père!

— Ce n'est pas lui, répondit-elle en souriant.

Une étrange petite lueur brillait dans les yeux de l'avocat.

— Vous êtes encore plus belle que dans mon souvenir, fit-il d'une voix douce et basse. Je n'ai jamais pu faire sortir votre visage de mon esprit, Selina. Vous m'avez obsédé durant des années. Je savais, tout au fond de moi, qu'un jour, vous reviendriez dans ma vie. Je regrette seulement que ç'ait été si long...

Un mouvement près d'eux brisa l'étrange atmosphère

qui les entourait. Selina sursauta, et ses yeux verts s'agrandirent sous le choc.

Ashley était là, le visage énigmatique, le regard fixé sur sa femme. Il cherchait à deviner ses pensées, et, instinctivement, elle détourna la tête pour l'en empêcher.

— Si tu es prête, Selina, dit-il froidement, je pense qu'il est temps de rentrer. Viens saluer nos hôtes.

L'intonation était tellement glaciale qu'elle eut envie de s'enfuir en courant... Mais elle n'avait pas d'autre possibilité que d'obéir.

— Voudriez-vous me présenter à votre mari, Selina? demanda Sir Daniel avec civilité.

Les yeux rivés au sol, Selina marmonna les présentations.

— Ashley, voici Sir Daniel Ravern. Sir Daniel, mon mari, Ashley Dent.

Sir Daniel leva les sourcils.

— Ashley Dent?

Au ton de surprise dans sa voix, Ashley pinça les lèvres. Ils se serrèrent sèchement la main.

— J'ai beaucoup entendu parler de vous, bien sûr, Monsieur Dent, dit Sir Daniel poliment.

— J'ai également entendu parler de vous, rétorqua Ashley, faisant sonner sa phrase comme une insulte.

Sir Daniel regarda Selina d'un air interrogateur. Elle leva les yeux mais ne fit pas de commentaire.

— Je ne suis là que pour une semaine... Je serais très heureux si vous vouliez déjeuner avec moi un de ces jours.

Les lèvres d'Ashley découvrirent ses dents blanches.

— Je suis persuadé que ma femme serait ravie de renouer avec vous mais je crains que notre temps ne soit très limité. Nous prenons très bientôt l'avion pour rentrer en Angleterre.

Selina fut stupéfaite, mais il ne parut pas s'en rendre compte, non plus que de son regard sur lui.

Sir Daniel haussa nonchalamment les épaules. Sa chevelure d'un blond argenté luisait sous la lumière douce, le faisant paraître plus jeune que son âge. Il devait avoir environ quarante-cinq ans, se dit Selina. Peut-être plus. Mais sa silhouette mince et la qualité exceptionnelle de ses vêtements masquaient son âge véritable.

Ashley s'éloigna, sur un geste péremptoire qui exprimait clairement son désir de la voir en faire autant. Elle le sentait furieux. Elle baissa la tête, tristement résignée. Sir Daniel lui tendit la main, et, après une légère hésitation, elle offrit la sienne. Il la porta à ses lèvres en un geste qui paraissait pour lui très naturel, en dépit de son apparente froideur.

Elle frissonna au contact des lèvres fraîches et retira instinctivement ses doigts. Leurs regards se croisèrent.

Puis, comme une somnambule, elle suivit Ashley. M. Campbell et Renata étaient à leur table. La jeune fille observait intensément Selina tandis qu'elle approchait. Ashley fit de brefs adieux.

Selina redoutait le moment où ils se retrouveraient seuls. Elle savait qu'il poserait des questions et qu'il serait cruel, blessant... Elle le devinait à son comportement, et l'idée lui en était insupportable. L'irruption de Sir Daniel l'avait mise dans un état épouvantable. Son attaque délibérée, calculée, contre elle, dans la salle d'audience, avait été une forme d'assaut intellectuel qu'elle avait été incapable de comprendre à ce moment-là. Elle n'avait pu davantage y résister... Mais il lui avait laissé une impression indélébile.

Elle se rappelait avoir lu que les victimes de tortures imaginaient de secrètes relations érotiques avec leurs bourreaux, d'autant plus puissantes qu'elles restaient enfouies tout au fond de leur esprit. Ses sentiments vis-à-vis de cet homme, dont les froides et cruelles questions l'avaient dégradée et salie, avaient été très complexes.

Son visage et sa voix avaient hanté ses rêves pendant

des années. Elle ne se les rappelait pas toujours au réveil, mais elle savait qu'ils n'étaient pas toujours détestables. Sa réaction consciente était la colère... Mais son subconscient nourrissait d'autres sentiments...

Elle ne comprenait pas les méandres de ses émotions. Elle savait seulement qu'une partie cachée de son esprit répondait traîtreusement au regard pénétrant, aux lèvres pâles et fermes qui prononçaient d'horribles paroles. Elle l'avait haï, comme elle venait de le lui avouer. Mais elle avait pleinement ressenti sa présence. Il lui fallait en terminer avec ces tourments anciens afin de pouvoir définitivement laisser son passé derrière elle.

Ashley garda le silence durant le retour, et Selina en fut soulagée. Elle avait redouté une crise de jalousie, mais il conduisit sans rien dire, les yeux fixés sur la route, le visage indéchiffrable.

La villa était sombre et tranquille. Joanna devait être chez elle avec Amos et ses enfants.

— Je crois que je vais aller directement au lit, dit humblement la jeune femme en s'arrêtant dans le couloir.

— Je ne le pense pas, ma chère, répondit Ashley en l'attrapant par le bras. Nous avons à parler, tu ne crois pas?

Il fit de la lumière dans la cuisine et la poussa à l'intérieur. Elle se tint près de la table, tête baissée, dans une attitude de faiblesse typiquement féminine. Son corps fragile fléchissait, ses cheveux encadraient son cou frêle.

— Sir Daniel Ravern... épela Ashley. Tu ne m'avais jamais parlé de lui avant...

— Il défendait mon beau-père, émit-elle d'une voix sourde.

— Je le sais... D'après ce que tu m'as dit et ce que j'ai lu dans le journal, il t'a crucifiée à la barre des témoins. Et pourtant, ce soir, tu es sortie avec lui sans protester. L'as-tu beaucoup vu, ces dernières années, Selina?

Elle releva la tête d'un air las.

— Non, Ashley...

Il s'approcha, les yeux pleins de mépris.

— Non, quoi?... Que je ne demande pas la vérité? J'ai assisté à la dernière partie de votre petit entretien. Quand il a reconnu que tu l'avais hanté durant des années, qu'il ne pouvait pas te faire sortir de son esprit... Que n'arrivait-il pas à oublier, Selina? Qu'il t'avait interrogée si brutalement? Sûrement pas. Il devait avoir des souvenirs beaucoup plus intimes, pour se rappeler aussi nettement une gamine de seize ans...

Elle lui jeta un regard de profond dégoût.

— Tu ne comprendrais pas...

— Essaie tout de même de m'expliquer, dit-il, la voix rauque.

— Non, rétorqua-t-elle simplement. Je ne peux même pas tenter de te faire comprendre...

— Pourquoi?

Son ton était amer.

— Parce que je ne saisis pas moi-même.

Il la regarda dans les yeux.

— Tu ne crois pas que les choses vont en rester là?

Elle se détourna.

— Il le faudra bien, pourtant. Je n'ai pas l'intention d'en parler plus longtemps. J'ai eu une soirée assez difficile...

Durant un moment, Ashley resta immobile, en proie à des sentiments violents. Puis il suivit sa femme dans le couloir jusqu'à sa chambre. Selina se glissa à l'intérieur et tourna la clé dans la serrure. Il martela la porte à coups de poings, la voix déformée par la rage.

— Laisse-moi entrer, Selina, ou j'enfonce la porte! hurla-t-il.

— Fais ce que tu veux... répondit-elle, indifférente.

Elle se déshabilla, sans tenir compte du tapage qu'il faisait.

Toute nue, elle se mit sous la douche. L'eau froide lui

faisait mille petites piqûres sur la peau. Elle se sécha soigneusement.

Ashley avait renoncé à tambouriner sur la porte.

Elle enfila sa chemise de nuit et se mit au lit. Elle se sentait comme engourdie, indifférente aux actions ou aux sentiments de son mari. Elle éprouvait seulement une envie presque sensuelle de dormir. Elle avait besoin de sombrer dans une inconscience totale, de s'évader d'elle-même et de ses émotions complexes.

Elle se détendit, le cerveau tout à fait vide. Et dormit calmement.

7

Selina dormit presque jusqu'à midi, d'un sommeil profond, proche du coma. Lorsqu'elle s'éveilla, elle était courbatue par ces longues heures d'immobilité totale. Elle avait fait des rêves dont elle ne parvenait pas à se souvenir, à la lumière du jour, mais qui lui laissaient une impression de malaise.

Après une rapide douche, elle enfila un pantalon blanc et une longue tunique sans manches. La villa était complètement silencieuse. La cuisine était impeccable, mais il n'y avait pas trace de Joanna. Selina se fit du café. Elle se demandait où était Ashley. Pourtant, elle n'avait aucune hâte de le voir.

Lorsqu'elle entendit le bruit de ses pas derrière elle, elle sursauta, et tout son corps se raidit comme dans l'attente d'un coup.

— Je veux bien une tasse de café, dit-il froidement en s'asseyant devant la table.

Elle le servit sans répondre.

Les yeux gris scrutaient son visage. Il remarqua son visage triste et pâle, les cernes mauves sous les yeux, le tremblement de sa bouche tendre.

Comme elle posait la tasse sur la table, il lui saisit le poignet et attira la jeune femme contre sa cuisse.

— Voici le moment de régler nos comptes, menaça-t-il. Si tu pensais pouvoir m'échapper en allant te cacher dans ta chambre, tu te trompais.

— J'avais sommeil... protesta-t-elle.

Irritée, elle s'aperçut qu'elle ressentait un grand plaisir au contact de sa cuisse musclée et nerveuse.

— Tu étais sur le point de t'expliquer au sujet de Sir Daniel...

— Pas du tout! dit-elle rougissant violemment.

— Eh bien, tu vas le faire, siffla-t-il entre ses dents. Faut-il que je te batte pour faire sortir les mots?

— Les hommes ne connaissent-ils donc que la force? cria-t-elle, furieuse.

La pression sur son poignet se resserra, lui arrachant une plainte.

— Je veux savoir, Selina! Et j'y arriverai. Tu ferais bien de tout me dire d'un seul coup. Tu devrais savoir que je suis entêté et que j'obtiens généralement ce que je veux.

— Aussi vils que soient les moyens employés pour arriver à tes fins, dit-elle avec mépris.

Le visage d'Ashley s'assombrit.

— Ne me parle pas sur ce ton!

— Qu'attends-tu d'autre? Tu me brutalises. Lâche-moi! Tu me fais mal.

Un instant, il la regarda fixement. Un muscle tressaillait nerveusement sous sa joue gauche. Puis il rejeta sa main dans un geste coléreux, sauvage.

Selina s'éloigna, prit sa tasse de café et s'assit. Elle but, les paupières mi-closes.

Ashley jura entre ses dents.

— Pourquoi ne me racontes-tu pas? Tu veux donc que je tire moi-même des conclusions sur la façon dont tu t'es conduite cette nuit?

— Tu ne t'es pas comporté comme un ange non plus, rappela-t-elle.

— Que sous-entends-tu par là?

— Toi et Renata Campbell! lança-t-elle.

Elle leva les yeux et lui envoya un regard incendiaire.

— Ah! Renata! dit-il doucement. Elle est belle, n'est-ce pas? C'est une rose-thé...

— Et facile à cueillir... ajouta-t-elle amèrement. Pas d'épines, sur cette fleur...

Il sourit et se pencha pour mieux observer sa femme.

— Attention, ma chérie, tu parles encore une fois comme si tu étais jalouse.

— N'est-ce pas ce que tu souhaites?

Un doux sourire emplit les yeux d'Ashley. Selina sentit son cœur bondir dans sa poitrine.

— Tu reconnais que tu es jalouse? demanda-t-il doucement.

Elle ne dit mot, son regard plongé dans le sien, avec une expression révélatrice.

Ashley posa sa tasse, se mit debout et aida Selina à se lever. Ses mains se posèrent sur elle, chaudes et possessives contre son dos, brûlantes à travers le léger tissu. Il la serrait fortement contre lui. Elle soupira, trop lasse pour se défendre, et se soumit à son étreinte, le front posé sur son épaule.

Au bout d'un moment, il attrapa une mèche de cheveux roux et tira sa tête en arrière avec fermeté.

— Tu ne te débats plus, mon amour? demanda-t-il d'une voix mal assurée.

Soumise, elle tendit ses lèvres. Il la regardait toujours intensément, essayant de découvrir les secrets qui se cachaient derrière ses grands yeux voilés. Elle était doucement alanguie, immobile contre lui, passive. Il fronça les sourcils.

— Démon! dit-il durement. Je ne veux pas faire l'amour à une poupée de chiffon. A quoi penses-tu?

Avec une note de jalousie farouche dans la voix, il ajouta :

— Ou plutôt, à *qui* penses-tu?

— Je ne pense à rien, répondit-elle sincèrement.

Il la secoua. Le regard sombre plongeait dans le sien.

— Alors, je vais t'obliger à penser! jeta-t-il, méprisant. Et à penser à moi!

Il la porta jusqu'à sa chambre, et la déposa sur le lit, comme la veille. Mais, cette fois, Selina ne tenta pas de se sauver ni de se débattre.

Complètement passive, elle le regarda porter les mains à son chemisier et en défaire un par un les boutons, baisant sa peau à chaque fois. Il dégrafa son soutien-gorge et le fit glisser sur les épaules nues.

Le souffle d'Ashley se fit plus rauque. Il enfouit sa tête brune contre la poitrine de sa femme, le visage dans sa délicate pâleur.

— Ta peau est si blanche, ici, murmura-t-il, à côté du bronzage de tes épaules et de tes bras... Selina, dis-moi que tu as envie de moi... Dis-moi que tu m'appartiens...

Elle se détourna en soupirant.

— En ce moment, je n'ai envie de rien d'autre que de paix, répondit-elle en tremblant.

La réplique furieuse d'Ashley la fit tressaillir. Il s'assit et passa sa main dans sa chevelure noire. Les muscles de son visage étaient tendus. Sa mâchoire était fortement serrée, comme pour contrôler une réaction excessive.

— J'ai détesté que tu te débattes comme un petit animal pris au piège, dit-il. Mais ceci est pire... Pour l'amour du ciel, qu'est-ce qui ne va pas?...

Il poursuivit, inexorable :

— Est-ce Ravern? Est-ce lui ou non? Tu as changé du tout au tout lorsque tu l'as vu. Et depuis, tu es différente. Qu'y a-t-il eu entre vous?

Il la releva de ses mains puissantes et la secoua avec force. La chevelure de cuivre dansait autour des épaules dorées.

— Dis-le-moi, bon Dieu! Dis-le-moi!

— Je ne sais pas, murmura faiblement Selina.

Il cessa de la secouer et la regarda dans les yeux.

— Dis-moi la vérité.

— Je suis... je ne sais pas... Il a été cruel envers moi.

Je l'ai haï. Mais depuis, je rêve sans cesse de lui. Quand je l'ai revu la nuit dernière, j'ai eu l'impression de plonger en plein cauchemar.

Il l'observait, fronçant les sourcils.

— Tu le trouves séduisant? demanda-t-il froidement. C'est cela?

Selina rougit violemment.

— Je... Je ne sais pas...

— Il doit bien y avoir quelque chose! Je sentais entre vous deux... comme un lien invisible...

— C'est tellement... personnel... d'être interrogée de cette façon... C'est... C'est...

— Intime...? suggéra-t-il.

Elle baissa les yeux et se mordit la lèvre inférieure; hochant doucement la tête. Ashley la dévisageait, le visage inexpressif, le regard insondable.

— Quand tu rêvais de lui, dit-il lentement, de quelle sorte de rêve s'agissait-il?

— Elle détourna le regard. Il la prit sous le menton pour l'obliger à lui faire face.

— Tu rêvais qu'il te faisait l'amour?

Elle tressaillit :

— Non!

Il l'observait cruellement, le visage dur comme la pierre.

— Tu es sûre, Selina? demanda-t-il d'un ton uni.

— Je n'arrive pas à me souvenir, avoua-t-elle. C'étaient d'affreux cauchemars, et je ne voulais pas me les rappeler...

Il s'assit et regarda au loin. Elle reposait sur l'oreiller, les paupières closes. La voix d'Ashley l'interrompit dans ses pensées.

— Dis-moi la vérité. L'as-tu parfois assimilé à ton beau-père, dans tes rêves? Etait-ce quelquefois lui qui t'attaquait?

Selina gémit et tourna la tête désespérément, en un silencieux rejet de cette idée. Ashley immobilisa sa tête entre ses mains et se pencha sur elle. Leurs visages étaient proches, les yeux gris pénétraient en elle, lisant ses pensées.

— Je savais qu'il y avait quelque chose que tu ne voulais pas me dire, fit-il pensif. Eh bien, il y a un moyen de te le faire sortir de l'esprit...

Ses lèvres s'abattirent sur les siennes. Il prit sa bouche tumultueusement. Son exigence impitoyable l'obligea à se rendre à sa merci; ses lèvres s'ouvrirent, impuissantes. Elle perdit le souffle, sous la sauvagerie de son attaque. Mais, en dépit de sa faiblesse, son corps s'éveillait de sa torpeur. Le sang se mit à battre dans sa gorge, dans ses poignets, dans toute sa personne.

Il suivit la ligne sèche de ses lèvres du bout de sa langue. Avec une longue plainte, elle l'entoura de ses mains, les paumes pressées contre son dos.

A l'aveuglette, il se débarrassa de sa chemise. Selina, les paupières à demi closes, le regardait se déshabiller.

Il revint contre elle. Il ne lui fallut qu'une seconde pour enflammer le désir qui se cachait en elle. Son baiser tendre, excitant, se fit plus profond, tandis qu'il la sentait s'animer sous ses caresses expertes. Leurs bouches se joignirent encore plus étroitement, en une passion égale et partagée.

Il commença de la couvrir de ses baisers légers, brefs, incomplets. C'était une véritable torture qui faisait, tant elle était avide de plaisir, brûler son corps tendre et nu. Elle s'entendait gémir sourdement, comme si une autre avait poussé ces plaintes.

Puis il se releva au-dessus d'elle, le visage étrangement pâle, un éclair de triomphe dans les yeux.

— Dis-le, maintenant! exigea-t-il.

Elle n'avait pas besoin d'explications. Elle lui obéissait déjà, gémissant doucement son envie de lui, murmurant passionnément son nom.

Lorsqu'il pénétra en elle, elle prit violemment sa respiration, qui s'échappa en un léger sanglot exprimant plus le plaisir que la douleur. Il la caressait toujours de ses lèvres.

Peu à peu la tension montait en elle, de plus en plus forte, de plus en plus dure ; elle avait l'impression qu'elle allait devenir folle si cela ne cessait pas.

Sachant à peine ce qu'elle disait, elle lui exprima enfin son désir.

— Je t'aime... je t'aime... disait-elle d'une voix rauque, desséchée par la passion, à peine audible, tremblante d'excitation.

Elle ferma les yeux, sa tête se rejeta en arrière sous l'impulsion d'une attente intolérable. Elle crispait douloureusement les mâchoires.

Elle sentit qu'il la regardait et sut ce qu'il voyait : le masque du désir total, irréfléchi, frénétique.

— Dieu, que tu es belle... fit-il d'une voix rauque.

— Encore ! supplia-t-elle, la bouche ouverte, implorante.

Il prit de nouveau ses lèvres. Son baiser devint plus profond.

Soudain, Selina sentit se briser la corde tendue de son désir. Elle tomba, en tremblant de tout son être dans un abîme de plaisir sans fin, emportant Ashley avec elle.

Contre ses lèvres, il répétait encore et encore son nom, la respiration rapide et rythmée, son cœur battant à tout rompre.

Le silence qui suivit avait la qualité d'un après-midi d'été, paresseux, parfaitement calme.

Selina prenait conscience de la plus infime partie de son corps, comme jamais auparavant... Et surtout, elle sentait la présence d'Ashley détendu et nu contre elle, le visage enfoui dans ses seins.

Elle l'entendit enfin bouger, s'asseoir et l'observer. Elle était tellement intimidée qu'elle n'osait affronter son regard.

— Maintenant, ose me dire que tu n'as pas envie de moi ! dit-il d'une voix surprenante, sauvage.

Elle fronça les sourcils et ouvrit les yeux. Il savait sûrement à présent à quel point elle l'aimait? Elle le lui avait dit tant et tant de fois pendant qu'il lui faisait l'amour... Pourquoi cette colère?

Le visage sombre était plein d'amertume.

— Toutes ces années de frustration, dit-il tristement. Passées à te désirer plus que tout au monde, à devenir fou de ne pouvoir te posséder... J'aurais dû te prendre impitoyablement. Mais tu m'as laissé me ronger le cœur, tandis que tu nourrissais ton besoin de revanche sur toute la race masculine...

— Ashley... murmura-t-elle, le regard suppliant.

Il était plein de mépris.

— Eh bien, la chance a tourné, ma chérie! Tu as envie de moi, et je le sais, à présent. Tu vas payer pour toutes les heures de malheur où tu m'as plongé. C'est toi qui vas te ronger le cœur de désir non assouvi! Il te faudra apprendre à mendier, Selina. Chaque fois, tu devras me supplier...

— Non! cria-t-elle, faiblissant à la vue de son visage, au son de sa voix...

— Tu m'as arraché petit à petit tout mon orgueil. Le sais-tu? demanda-t-il brutalement. Pendant trois ans, j'ai payé un détective privé pour te surveiller. Imagines-tu l'opinion que j'avais de moi-même? S'il m'était resté le moindre amour-propre, je t'aurais chassée de ma tête. J'aurais guéri ma fierté blessée avec quelqu'un qui en fût digne. Mais je n'y suis même pas arrivé... Aucune femme n'était désirable à mes yeux. Quand tu m'as rejeté, il m'a été impossible de t'oublier. Tu le savais très bien... C'est exactement là que tu voulais en arriver, n'est-ce pas, ma chérie? Cela te plaisait de savoir que je me consumais de passion inassouvie! C'était la vengeance que tu voulais!

— Non... souffla-t-elle. Non!

Son visage était d'une pâleur de cire, ses yeux pleins

de désespoir. Il était clair que, tout en la désirant violemment, Ashley la haïssait aussi.

— Oh, si! siffla-t-il entre ses dents. Tu voulais que je me brûle les ailes à ta flamme, comme un papillon de nuit... Tu voulais me voir me consumer, impuissant, incapable de m'échapper ni d'obtenir ce que je désirais...

— Tais-toi, Ashley, gémit-elle. Comment peux-tu être si cruel? Juste au moment où...

— Où tu t'es finalement abandonnée? acheva-t-il d'une voix glaciale. Ne t'est-il pas venu à l'esprit, mon amour, que cela me libérait enfin?

Elle le regarda, les yeux agrandis de douleur et d'incrédulité.

— Que veux-tu dire?

— Tu me comprends parfaitement, fit-il sèchement. J'ai eu enfin ce que je voulais... Je t'ai dit que rien ne me résistait. Finalement, tu as eu aussi envie de moi que moi de toi. Ne te paraît-il pas logique qu'ayant obtenu une victoire entièrement satisfaisante, je n'aie plus besoin de toi?

Elle ferma les yeux pour ne plus voir son visage cruel. Une sensation bizarre parcourut son corps. Elle poussa une petite plainte étouffée, et ses membres se détendirent.

Lorsqu'elle revint à elle, elle était allongée sous le drap. Son corps glacé se réchauffait peu à peu. Un mouvement à ses côtés attira son attention. Elle tressaillit en reconnaissant Ashley, et ses lèvres se mirent à trembler.

— Tu devrais rester au lit toute la journée, dit-il froidement. Tu es très pâle. Il faut que j'aille en ville voir les Campbell. Joanna viendra s'occuper de toi.

Selina ne fit pas un geste, ne prononça pas une parole. Elle se contentait de regarder Ashley de ses grands yeux tristes. Il était redevenu un total étranger, et elle se sentait perdue.

Il attendit un instant une réponse qui ne vint pas. Il haussa les épaules.

— Je te verrai à mon retour, dit-il en quittant la chambre.

Elle resta étendue, le regard dans le vague, essayant de se sortir de cet abîme glacé de désespoir. Peu à peu, la colère s'empara d'elle. La cruauté amère de son mari avait été un tel choc, après ce qui venait de se passer... Elle reconnaissait que l'attitude qu'elle avait eue autrefois vis-à-vis de lui pouvait tout expliquer. Mais elle ne lui pardonnait pas. Ashley l'avait traitée comme une fille publique, son attitude avait été résolument hostile.

Il la détestait. Elle devait affronter cette vérité. Son abandon abject avait parachevé son aliénation. Ils avaient eux-mêmes détruit leur amour...

Mais qu'avait-il l'intention de faire? Il n'avait pas été très clair. Il avait d'abord dit qu'elle aurait à mendier pour obtenir ses faveurs. Puis il avait affirmé n'avoir plus envie d'elle. Où était la vérité? Etait-ce la fin de leur union? Allait-il la quitter pour Renata Campbell?

Le soleil doré de l'après-midi baignait son visage, si romantique qu'elle se remit à pleurer.

Elle entendit la sonnerie lointaine du téléphone. Joanna répondit à voix basse. Selina sauta hors de son lit, enfila un peignoir et alla voir qui appelait. Elle espérait que ce serait Ashley.

Joanna reposait le combiné. Elle eut l'air surprise de voir Selina.

— Vous... vous êtes réveillée? M. Dent a dit que vous dormiriez toute la journée... Mon Dieu, il fallait que vous soyez épuisée!...

Selina rougit devant le sous-entendu.

— Qui téléphonait? demanda-t-elle anxieusement. Etait-ce mon mari?

— Non, Madame. C'était un monsieur... Sir Daniel quelque chose, il a dit. J'ai répondu qu'il ne fallait pas vous déranger, comme Monsieur Dent l'a ordonné.

Ashley avait pensé à tout! se dit Selina, amère. Il n'avait peut-être plus envie d'elle, mais il ne voulait pas qu'elle parlât à Sir Daniel, ni qu'elle le vît.

— Vous retournez au lit, Madame? demanda Joanna perplexe.

La jeune femme secoua la tête.

— Non. Je crois que je vais enfiler mon maillot et aller me baigner.

Joanna mordilla sa lèvre inférieure.

— Cela vous ennuierait si je retournais à la maison? J'étais au beau milieu de mon repassage lorsque Monsieur Dent m'a demandé de venir. Si vous allez mieux, vous n'avez peut-être pas besoin de moi?

— Bien Sûr, Joanna, allez-vous-en, dit tranquillement Selina.

Elle se changea et descendit sur la plage. Elle regarda la mer, les yeux vides, contemplant son avenir stérile. Elle se tenait au bord de l'eau, laissant les vaguelettes lui recouvrir les pieds.

Elle était presque tentée de marcher droit devant elle pour ne plus jamais revenir. Même dans les pires moments, elle ne s'était jamais sentie à ce point seule et désespérée.

Elle avait toujours dû s'occuper de Roger, dans le passé. C'était à lui qu'elle se raccrochait quand sa vie basculait. Le besoin qu'il avait d'elle la rendait plus forte, l'avait toujours sauvée du désespoir total. Roger était devenu un adulte, il était loin. Plus personne n'avait besoin d'elle, ni envie d'elle...

La mer se fondait dans le brouillard à l'horizon. Le soleil de cette fin d'après-midi, rond et doré, était voilé de nuages d'opale. C'était beau, mais vide, douloureusement pareil à ses sentiments...

Qu'était en train de faire Ashley? L'amour à Renata Campbell?...

Elle s'agitait pour se distraire de ces pensées. Soudain, elle s'aperçut qu'elle était observée.

Sir Daniel Ravern était un peu plus haut sur la plage. Il semblait curieusement déplacé dans ce paysage, avec son costume léger de couleur claire aux plis impeccables. Son visage était austère et fermé.

Il se dirigea lentement vers elle.

— J'ai eu un sentiment bizarre en vous regardant, Selina... Il m'a semblé que vous pensiez à vous tuer...

C'était bien dans sa façon, de parler carrément. Elle eut un petit sourire sans joie.

— C'est vrai, répondit-elle franchement.

— Pourquoi? demanda-t-il, la regardant intensément.

Elle haussa ses frêles épaules en signe d'impuissance. A quoi bon expliquer?

— Le paradis... dit-il avec un coup d'œil circulaire sur la plage. Où est le serpent, Eve? Est-ce moi?

Elle ne put s'empêcher de sourire, un peu tristement.

— Non, Sir Daniel. Assez de vos questions intelligentes... s'il vous plaît.

— Pas d'interrogatoire? fit-il d'une voix sèche. Je vous ai téléphoné, mais on m'a dit que vous vous reposiez. Comme j'ai vu votre mari à la piscine avec Miss Campbell, j'ai pensé pouvoir venir en toute sécurité...

— Nous n'avons rien à nous dire, Sir Daniel...

— Peut-être que non, énonça sa belle voix claire. Je crois que nous avons manqué notre rendez-vous...

Les yeux de Selina s'agrandirent. Que pouvait-il bien vouloir dire?

— Vous aviez seize ans, moi trente-six, poursuivit-il avec un sourire amer. Je faisais une carrière brillante. Je n'ai jamais consacré beaucoup de mon temps aux femmes. Non que leur compagnie me déplût, mais mon ambition passait avant tout. Je n'essaierai pas de vous faire croire que je suis tombé amoureux de vous pendant les quelques jours qu'a duré le procès. Mais je n'ai jamais pu vous chasser totalement de mon esprit.

Vous aviez une pureté de traits, une vulnérabilité qui m'ont profondément ému.

— Merci, dit-elle en rougissant.

— Si vous aviez été plus âgée, ou moi plus jeune, j'aurais retourné la planète pour vous retrouver... Dans notre cas, j'ai presque été soulagé que vous ayez disparu. Vous auriez représenté pour moi une distraction trop importante.

Selina se mit à rire, ses yeux verts animés d'une lueur amusée.

— Je suppose que c'est un compliment!

— Si vous me connaissiez mieux, vous sauriez que oui, dit-il en souriant. De toute façon, la chance était passée. Mais je voudrais vous dire encore... Si vous avez un jour besoin de quelque chose, n'hésitez pas à venir me voir. Vous trouverez mon numéro dans l'annuaire. Et ne vous laissez pas intimider par ma gouvernante. Laissez votre nom et votre adresse. Je serai heureux de vous rendre service, de quelque façon que ce soit...

— Merci, répéta-t-elle, incroyablement émue. Pourquoi pensez-vous que je puisse avoir besoin d'aide?

Il regarda la mer au loin.

— A votre façon de rester là, comme une enfant perdue et désespérée... A la manière dont votre mari vous a parlé hier soir... Ecoutez, je ne vous pose pas de questions... Je veux seulement que vous sachiez que vous pouvez compter sur moi.

Elle acquiesça, sa chevelure dorée soulevée par le vent. Les yeux tournés vers la mer, elle dit d'une voix enrouée :

— J'ai rêvé de vous pendant des années...

Il resta immobile un instant.

— C'est une expérience très banale, dit-il doucement. Les psychiatres la connaissent bien...

Selina se retourna brusquement, balayant de ses cheveux parfumés les lèvres de Sir Daniel.

— Vous voulez dire que cela arrive à d'autres?

— C'est ce que l'on m'a dit... C'est le même genre de transfert d'affection que celui que l'on porte à un médecin pendant qu'il vous soigne. L'intimité obligatoire des relations provoque une réponse para-sexuelle...

— Je vois... dit-elle en rougissant.

Il eut de nouveau un sourire un peu triste.

— Je vous réponds honnêtement, mais contre mon intérêt, Selina. J'aurais dû vous laisser croire que vos rêves à mon propos étaient uniques et bien réels. J'aimerais penser que vous gardez de moi un souvenir clair et agréable. Comme celui que je garde de vous. Mais la franchise m'oblige à vous dire le contraire. Vous étiez jeune, votre esprit était encore malléable. Vous avez reçu une impression de moi, et elle est restée. Quelques années plus tard, elle aurait vite disparu. Si vous m'aviez rencontré cinq ans après dans d'autres circonstances, sans doute ne m'auriez-vous pas même vu.

— Vous avez un esprit tellement clair, logique... Merci, Sir Daniel.

— Ne me remerciez surtout pas, fit-il avec une petite grimace. Vous m'avez coûté un bon nombre de nuits blanches. Je regrette d'avoir accepté cette affaire, surtout maintenant.

Elle le regarda entre ses longs cils.

— Pour être tout à fait franche, je dois vous avouer que mes rêves n'étaient pas très agréables...

— Des cauchemars, vous voulez dire?

— Parfois...

— Et sinon?...

Selina lui envoya un sourire de ses yeux verts.

— Je crois que vous devinez la réponse...

Il rougit violemment, et son visage refléta une vague incertitude. Soudain, il fit demi-tour.

— Adieu, Selina... rappelez-vous, si vous avez besoin de moi, venez me voir...

— Au revoir, Sir Daniel, dit-elle gentiment, sachant pertinemment que jamais elle n'irait à lui.

Il s'arrêta, se retourna. Puis il revint vers elle. D'une main il lui souleva le menton et se pencha sur son visage. Elle ne bougea pas. Le baiser fut doux, tendre. Un baiser d'adieu plus que de passion.

Elle le regarda remonter la plage, ses souliers glissant sur le sable fin.

Puis elle entra en courant dans l'eau et se mit à nager et à faire des cabrioles comme un dauphin, ou bien à se laisser porter sur le sommet des vagues. Le soleil basculait lentement à l'horizon. Soudain, après un dernier éclat, il disparut tout à fait.

Les étoiles scintillèrent dans le ciel violet. Selina les regardait, allongée sur l'eau. Elle n'avait pas envie de rentrer. Là, elle se sentait libre de toute colère, de toute émotion. Elle aurait pu y rester pour toujours, se dit-elle. Elle ne voulait plus jamais sortir de la mer...

Si j'étais une sirène, pensait-elle, je peignerais ma longue chevelure, assise sur un rocher, et je conduirais les marins à leur perte. Les sirènes n'ont pas de cœur. Elles ne souffrent pas comme les humains...

Tout au fond de son esprit, elle savait qu'elle agissait follement. Elle délirait, comme sous l'effet d'une forte fièvre. Ses pensées erraient, incertaines.

Cela faisait trop mal de réfléchir. Mieux valait ce vide du corps et de l'âme. « Je suis arrivée au fond », dit-elle à haute voix aux étoiles. Et elle rit.

Alors, par-dessus la mer et le sable pâle, lui parvint la voix lointaine d'Ashley, pleine de colère et d'angoisse:

— Selina... Selina...

Elle le voyait quand les vagues la soulevaient. Il tenait sa serviette à la main et regardait vers elle. Puis il courut, lançant ses vêtements dans le vent.

Elle entendit à peine le bruit qu'il fit en plongeant. Elle avait fermé les yeux, à présent, et ressentait un désir de plus en plus grand de sombrer, tout au fond, au cœur des vagues tièdes. Mes os deviendront du corail, murmura-t-elle...

La voix d'Ashley l'atteignit à nouveau, mais l'angoisse qu'elle traduisait ne pénétra pas dans son cerveau épuisé. L'eau salée clapotait doucement à ses lèvres. Elle n'essaya pas de nager vers lui. En fait, elle lui en voulait de troubler la paix merveilleuse qui l'environnait, avec sa panique d'homme et ses cris de douleur.

Quand il la rejoignit, elle était complètement molle. Elle avait les yeux clos, et ses cheveux flottaient autour d'elle comme des algues.

Ashley la saisit aux épaules et nagea vers le rivage de toutes ses forces. Il la tira sur le sable, poids mort, derrière lui.

Sa violence la sortit de son doux coma. Elle se mit à tousser et à cracher. L'eau salée sortait par son nez, par sa bouche, douloureuse et humiliante.

Elle pleurait, étendue sur le ventre, les bras en croix comme une poupée de chiffon.

Ashley la prit dans ses bras, repoussant ses cheveux en arrière d'un geste brutal. Il la gifla vigoureusement jusqu'à ce qu'elle ouvrît les yeux.

— Mais... gémit-elle en guise de protestation.

Il se pencha vers elle, une flamme dangereuse dans les yeux.

— Petite garce! Crois-tu pouvoir m'échapper, même par la mort? Je t'aurais suivie et retrouvée jusqu'aux portes de l'enfer. Tu comprends?

Il viola sa bouche salée de ses lèvres dures, avec une telle force de désespoir qu'elle réalisa enfin où elle était, et ce qui était arrivé.

Comme il relevait la tête, elle le regarda tristement, des larmes plein les yeux.

— Ne me fais plus mal, Ashley. Je t'en prie, ne me fais plus mal...

Il la contempla en silence, très pâle. Puis, avec une sorte de gémissement, il l'enleva dans ses bras et remonta la plage. Il la tenait bien serrée contre sa poitrine nue.

8

Le lendemain matin, elle était debout avant que la lumière dorée de l'aube eût envahi la terrasse.

Elle avait mal dormi, son esprit tournant en rond à l'intérieur des limites d'un avenir auquel elle ne pouvait échapper.

Elle ne pouvait pas supporter l'idée de vivre avec Ashley, sachant qu'il la détestait. Mais elle n'arrivait pas non plus à se résigner à le quitter de nouveau.

Elle était enchaînée, prisonnière de son amour pour lui. Elle avait tenté de trouver sa dernière porte de sortie mais elle avait échoué... Ashley la lui avait fermée définitivement. Plus jamais elle n'essaierait de mourir pour lui échapper...

Il lui avait dit qu'il la suivrait jusqu'en enfer, et, frissonnante de crainte, elle l'avait cru. Son désir de vengeance allait au-delà de sa propre mort. Or elle ne supporterait pas d'être la cause de la disparition d'Ashley. Elle resterait donc là, avec le poids de sa haine, et elle en était terrifiée.

Elle se fit du café, trouva des fruits et alla s'asseoir sur la terrasse, dans les premières lueurs de l'aube, le regard fixé, au-delà du jardin, sur la mer lointaine. Le brouillard était suspendu au-dessus de l'eau, comme de la soie déchirée par l'or et l'azur du matin.

Un voilier s'éloigna lentement de la côte. On voyait un garçon s'affairer sur le pont, avec son gilet de sauvetage d'un orange vif.

Un bruit de pas sur la terrasse la fit se raidir, mais elle ne se retourna pas. Ashley s'assit à côté d'elle, les yeux fixés sur son profil pur.

— Bonjour, dit-il.

Elle se tourna vers lui, les yeux voilés par ses longs cils brillants.

— Bonjour, répondit-elle froidement.

— Comment te sens-tu, ce matin?

Ce n'était pas une question banale, Selina s'en rendait compte. La veille, après leur retour à la villa, ils n'avaient pas prononcé une parole. Ashley l'avait portée dans sa chambre, accompagné par les cris d'angoisse de Joanna. Il l'avait posée sur le tapis, tremblante. Il lui avait enlevé son maillot de bain, sans tenir compte de ses faibles protestations. Puis il l'avait durement étrillée à l'aide d'une serviette chaude.

Lui jetant un coup d'œil, elle avait vu la tension de son visage; elle savait qu'il serrait fortement les lèvres pour s'empêcher de lui lancer ce qu'il avait à lui dire. Il lui avait passé sa chemise de nuit et l'avait mise au lit, recouvrant son corps toujours frissonnant d'une couverture supplémentaire.

Enfin, il avait quitté la chambre sans un regard en arrière. Joanna, sur la pointe des pieds, lui avait apporté peu après une tasse de lait chaud et deux cachets d'aspirine. Obéissante, elle avait ingurgité ce qu'on lui donnait. Puis elle était restée étendue dans l'obscurité, regrettant de ne pas être morte dans la mer chaude et apaisante...

Elle répondit, d'un ton très calme :

— Je vais bien, Ashley.

Il la regardait attentivement, cherchant quelque faille dans le visage indifférent qu'elle lui opposait.

Elle était très pâle, et de larges cernes soulignaient ses grands yeux, mais son expression était sereine et fermée.

Irrité, il dit d'une voix mordante :

— Eh bien, c'est très rassurant! La nuit dernière tu

130

tentes de te suicider, et ce matin, tu te portes comme un charme! As-tu réalisé une seconde ce que j'ai subi en ne te trouvant pas à mon retour? Et Joanna incapable de me dire où tu étais?

— Elle savait que j'étais sur la plage!

— En effet... plusieurs heures auparavant! Elle t'a laissée seule, en dépit de mes ordres...

— Ce n'est pas sa faute!... Elle ne savait pas...

— Non! interrompit-il sèchement. Comment aurait-elle pu deviner qu'une jeune femme en pleine lune de miel essaierait de faire une chose aussi stupide, aussi lâche?

Selina rougit.

— Je suis désolée...

— Désolée?... Tu es désolée? Tu ne vas pas tarder à l'être bien plus encore, crois-moi!

— Encore un fait à ajouter à la longue liste de tes griefs envers moi, Ashley? demanda-t-elle amèrement.

— Je devrais te tordre le cou! cria-t-il.

— Pourquoi ne le fais-tu pas? dit-elle agressive. Cela nous épargnerait à tous deux bien des ennuis...

Il la regarda sauvagement.

— Je trouverai des punitions plus satisfaisantes...

— Pourquoi ne me laisses-tu pas m'en aller?

— Tu ne t'en sortiras pas aussi facilement, ma chérie!... Je tiens à t'avoir à l'œil.

— Pour me voir souffrir?

— Exactement... Je veux te voir vivre le même enfer que celui que j'ai connu pendant trois ans...

— Et, après trois ans, aurai-je droit à la parole? demanda-t-elle froidement.

Il l'attrapa par le bras et la serra si fort qu'elle sut qu'elle aurait des bleus le lendemain.

— Non. Tu es condamnée à vivre, Selina...

Elle se leva, très pâle. Ashley en fit autant, sans la lâcher, les yeux fixés sur elle.

— Que faisait Ravern ici, hier soir?

Elle battit des paupières et le regarda entre ses cils.

— Daniel?

Sa bouche se durcit.

— Oh!... Nous en sommes aux prénoms...

Elle haussa les épaules, indifférente.

— Il avait quelque chose à me dire.

— Quoi donc?

— Que, si j'avais besoin de lui, je n'avais qu'à le lui dire, répondit-elle, sachant parfaitement qu'il allait entrer dans une rage folle, mais ne s'en souciant plus.

— C'était avant ou après qu'il t'ait embrassée?

Le sang monta aux joues de Selina. Elle regarda son mari, les yeux agrandis d'étonnement.

— Comment?...

— C'est Amos, grimaça-t-il. Il t'a vue sur la plage avec un homme et il me l'a dit quand je te cherchais. La description qu'il m'a faite correspondait parfaitement à Ravern... Charmant d'apprendre par un étranger que sa femme fait l'amour sur une plage avec un autre!...

— Amos a exagéré, soupira-t-elle. Sir Daniel m'a embrassée très superficiellement, seulement une fois... un baiser fraternel. Tu n'y aurais rien vu de mal, si tu avais été là...

— Tu le parierais?

— Tu fais comme le chien du jardinier, Ashley? Tu empêches les autres de manger ce dont tu ne veux pas? demanda-t-elle d'un ton léger, soucieuse de détourner la conversation qui devenait dangereuse.

La colère d'Ashley fut terrifiante. Il la prit aux épaules et la secoua violemment.

— Tu m'appartiens. Aucun homme ne doit te toucher! Quant à l'offre de Ravern... si tu vas le trouver, je retournerai tout Londres pour te mettre la main dessus! Il n'y a pas un endroit au monde où tu puisses te cacher de moi, Selina!

— Uniquement par vengeance? demanda-t-elle, l'observant entre ses cils.

— Exactement. Je veux te voir vivre, sachant que tu ne peux obtenir ce que tu désires... et tu me désires, Selina, nous le savons tous les deux, n'est-ce pas? Je veux te voir devenir folle de frustration, comme je l'ai fait. Tu penseras à moi jour et nuit jusqu'à la démence.

Il l'attira à lui. Elle se raidit, incapable de résister à l'envie de le toucher. Elle leva la tête, impuissante, et il s'inclina vers elle. Un long soupir fit frémir les lèvres entrouvertes de la jeune femme. Leurs bouches étaient proches l'une de l'autre, et il l'observait de ses yeux enfiévrés.

Doucement, ses lèvres vinrent se poser sur celles de Selina. Elle ferma les yeux. Elle lui mit les bras autour du cou, et murmura :

— Chéri, oh, mon chéri...

La caresse de son baiser enflamma son corps. Elle se dressa sur la pointe des pieds pour être plus près de lui. Son corps épousait le sien, elle respirait si fort que son visage était empourpré.

Mais il recula inexorablement... Elle ouvrit enfin les yeux, glacée de déception. Il avait un sourire cruel et triomphant.

— Tu vois ce que je veux dire? plaisanta-t-il.

Il détacha les mains nouées sur sa nuque et la repoussa.

— Va mettre ton maillot, ordonna-t-il. Nous allons à la plage.

Dans sa chambre, elle se jeta sur son lit et pleura longuement... Puis elle se passa de l'eau sur la figure, se changea et sortit rejoindre Ashley. Il était lui aussi en maillot. Elle ne put s'empêcher de jeter un coup d'œil vif et ardent sur le corps bronzé qui marchait devant elle. Il dut le sentir et se moquer intérieurement d'elle.

Pendant la fin de leur lune de miel, ils passèrent leur temps à nager, à prendre des bains de soleil, à manger et se reposer dans le jardin.

Les longues journées ensoleillées n'étaient pas trop pénibles; mais les nuits étaient insupportables. Selina se tournait et se retournait dans son lit, incapable de s'empêcher de penser à Ashley. Des cernes s'élargissaient sous ses yeux. Chaque matin, son mari l'examinait de son regard froid, comme s'il prenait plaisir à la voir dépérir.

Bien qu'elle essayât de s'éloigner de lui, il y avait des contacts physiques inévitables. Chaque fois, elle était tendue. Chaque fois, il comprenait pourquoi et en tirait satisfaction.

Un jour, il l'obligea à danser avec lui après le dîner. Il la serrait étroitement, en une étreinte à la fois divine et intolérable. Il lui caressait doucement le dos avec sa main, et elle ne put réprimer un soupir de plaisir. Il eut un sourire dur, cruel, et elle s'éloigna de lui. Mais il reprit dans ses bras le corps souple et abandonné...

Les journées paraissaient interminables. Aussi paradisiaque que fût cet endroit, Selina en garderait toujours un souvenir douloureux.

Le dernier soir, Ashley lui demanda de nouveau de danser après le repas. Joanna était partie, et la villa était silencieuse.

Ils tournaient sans parler au son de la musique. La joue de Selina reposait sur l'épaule d'Ashley. Elle sentait la chaleur de sa peau sous le tissu léger. Le brusque désir de poser sa bouche sur lui la fit trébucher.

— Qu'est-ce qui ne va pas? demanda-t-il, ironique.

— Je dois être fatiguée, balbutia-t-elle. Je crois que je vais aller me coucher...

— Certainement pas, objecta-t-il avec indifférence. Je veux que tu danses avec moi.

— Pour l'amour du Ciel, Ashley, éclata-t-elle...

Elle fut arrêtée net par la lueur sardonique de son regard.

Se raidissant, elle se dégagea de ses bras, et se dirigea vers la porte. Mais il la rattrapa bien vite. Il la serra de nouveau contre lui, appuya sa joue contre la sienne. Ses lèvres caressaient doucement l'oreille de Selina.

— Que veux-tu, Selina? Dis-le!

Il faisait courir ses mains sur son dos et sur sa taille, jusqu'à ce qu'elle fût trop faible pour protester. Il lui prit le menton dans la main, souriant froidement.

— C'est cela que tu désires? demanda-t-il en inclinant la tête vers sa bouche.

— Oui, gémit-elle.

Elle ne pouvait détacher ses yeux du contour ferme de ses lèvres et de leur promesse de bonheur.

Cette fois, son baiser fut profond. Il la posséda avec sa bouche. Elle était envahie d'un feu dévorant et le tenait à la nuque pour l'empêcher de s'en aller. Ses lèvres s'ouvraient, se rendaient, en gage d'adoration infinie et abjecte.

Soudain, il la repoussa, le visage congestionné, le souffle court, le cœur battant. Il lui jeta un regard sauvage, puis tourna les talons et sortit de la pièce.

Selina resta là, tremblante, en proie à une intense satisfaction. Ashley la détestait peut-être, mais son désir pour elle n'était pas mort, contrairement à ce qu'il voulait lui faire croire. Elle en était à présent certaine. Il n'avait pas prévu de l'embrasser de cette manière. Il s'était laissé emporter par ses sens. Elle se sentit réconfortée. L'avenir n'était peut-être pas aussi noir qu'elle l'avait imaginé.

Selina fut triste de quitter Joanna, qui était devenue presque une amie. Elle lui offrit un cadeau qu'elle avait rapporté de sa dernière visite en ville.

Le voyage de retour à Londres fut paisible. Ashley semblait absorbé dans ses pensées, à peine conscient de la présence de Selina à ses côtés. Elle parcourut quelques magazines et regarda, par le hublot, les nuages laisser la place au ciel le plus bleu qui fût.

Il pleuvait, à Londres. Selina frissonna dans son

manteau léger et se rappela avec nostalgie le soleil éclatant des îles.

L'appartement d'Ashley donnait sur un parc.

Il la fit pénétrer dans un salon. Il jouait avec sa clé et l'observait, tandis qu'elle jetait un timide coup d'œil autour d'elle.

— Nous pourrions dîner dehors, ce soir, dit-il tout à coup. Mais, cet après-midi, il faut que je passe au bureau pour voir le courrier. Je n'en aurai que pour quelques heures. Tu ne t'ennuieras pas trop?

— J'irai faire des courses. J'ai besoin de quelques petites choses.

— Non! rétorqua-t-il, catégorique. Tu restes là.

Elle leva des yeux furieux.

— Suis-je prisonnière, Ashley?

Il eut un sourire tendu.

— Oui, dit-il. Je ne peux pas te faire confiance. Et n'essaie pas de t'enfuir. Stow a des ordres, il te retiendrait.

Stow rôdait dans l'entrée lorsqu'ils étaient arrivés. C'était un homme énorme et chauve, au visage obtus. Il avait brièvement dévisagé Selina quand il lui avait été présenté. Il avait ignoré la main qu'elle lui tendait, et elle s'était sentie toute bête.

Ashley le lui avait décrit comme « homme à tout faire » : maître d'hôtel, chauffeur, valet de chambre, homme de main.

— Ainsi, Stow est mon geôlier? demanda-t-elle.

— C'est exactement cela, répliqua froidement Ashley.

— Et tu es sûr de pouvoir lui faire confiance, vis-à-vis de moi? insinua-t-elle doucement.

La violente rougeur qui monta au visage de son mari lui prouva qu'elle avait atteint son but. Il lui jeta un regard tellement inquiétant qu'elle regretta de ne pas avoir tenu sa langue.

— Stow n'aime pas les femmes, jeta-t-il d'une voix

mordante. A ta place, je n'essaierais pas mes charmes sur lui, Selina. Il est immunisé !

— Tel maître, tel valet ? susurra-t-elle.

Il lui prit le menton d'une main dure et lui releva la tête.

— Tenterais-tu de me provoquer, ma chérie ?

Elle s'humecta les lèvres du bout de la langue.

— Je n'oserais pas... fit-elle, consciente du regard intense qu'il posait sur elle.

— Ne fais pas cela ! s'écria-t-il soudain.

Dans chaque fibre de son corps, Selina sentait qu'il avait envie de l'embrasser, de poser ses lèvres à l'endroit où elle avait passé sa langue... Son cœur se mit à battre plus fort, et elle leva les yeux, cherchant à lire sur son visage.

Il la repoussa et se tourna vers la porte.

— J'en ai environ pour deux heures, dit-il d'une voix ferme avant de sortir.

Selina se mit en devoir d'explorer l'appartement. Elle fut enchantée par la vue panoramique que l'on avait des larges fenêtres.

Il y avait trois chambres. Toutes étaient vastes et luxueusement décorées de meubles scandinaves. Rideaux et moquettes étaient d'une teinte claire et discrète.

Stow vaquait à la cuisine, drapé dans un ample tablier bleu et blanc. Il lui jeta un regard totalement inexpressif.

— Puis-je quelque chose pour vous, madame Dent ?

Sa voix était polie mais parfaitement indifférente.

— Je visitais seulement, répondit-elle.

Elle jeta autour d'elle un coup d'œil émerveillé.

— Quel équipement fantastique !... Qu'est cela ? Un four ?

— Oui, Madame. Un four à micro-ondes.

— Mon Dieu ! Je crois que tout y cuit en un temps record, n'est-ce pas ?

— Oui. C'est très utile pour les surgelés.

Selina admira le vaste lave-vaisselle, le congélateur, la machine à laver et les autres installations de qualité.

— Cela doit bien simplifier la vie, commenta-t-elle, pensant qu'elle pourrait faire elle-même le travail de Stow.

Comme s'il avait pu deviner ses pensées, Stow se ferma.

— Oui, Madame, répondit-il seulement.

— Vous tenez impeccablement l'appartement, poursuivit-elle pour entrer dans ses bonnes grâces.

— Merci, Madame, fit-il avec la même froideur polie.

Elle ouvrit un buffet, jeta un coup d'œil à l'intérieur, puis se retourna vers le domestique.

— Etes-vous très occupé, Stow?

— Je prépare le dîner, Madame.

— Oh! s'étonna-t-elle. Monsieur Dent m'a dit que nous sortions, ce soir.

— Vraiment? Il ne m'en a pas parlé. J'ai cuisiné un coq au vin. J'allais juste me mettre à la mousse au citron...

On sentait qu'il était vaguement irrité.

— Quel dommage, déplora doucement Selina. J'aime tant la mousse... Je me demande si je pourrais persuader mon mari de rester? Le voyage m'a fatiguée, j'aimerais mieux passer la soirée à la maison.

Stow la regarda, ses yeux de poisson animés d'une lueur presque humaine.

— Voulez-vous une tasse de thé, Madame?

— Oh, merci, Stow! Ce serait merveilleux!

Il toussota et se détourna, apparemment démonté par le radieux sourire qu'elle lui avait adressé.

— Je... euh... il y a du gâteau au chocolat...

— Fait à la maison?

— Je l'ai confectionné moi-même, Madame.

— J'en prendrai volontiers! J'adore le gâteau au chocolat... Mais je n'arrive jamais à faire le glaçage aussi fondant qu'il devrait être.

— J'utilise un chocolat spécial, Madame.

Il sortit d'un placard un superbe gâteau, avec l'air content de lui d'un prestidigitateur sûr de ses trucs.

— C'est le gâteau le plus magnifique que j'aie vu de ma vie! s'exclama Selina.

— Je vous servirai le thé dans une dizaine de minutes au salon, Madame.

Selina comprit que c'était un congé, courtois mais ferme, et elle battit en retraite.

Il y avait des heures qu'elle avait avalé le médiocre repas servi dans l'avion, et elle avait une faim de loup.

Elle soupira en voyant apparaître Stow. Il apportait une petite table qu'il recouvrit d'une nappe damassée. Il y déposa le plateau du thé et un vase élancé contenant un bouton de rose.

Une demi-heure plus tard, il vint débarrasser. Selina le complimenta de nouveau sur son gâteau, dont elle avait pris deux grosses parts. Un sourire éclaira le visage habituellement impassible.

— J'espère que vous aurez encore faim pour le dîner, Madame? dit-il seulement.

— Seriez-vous en train de me faire comprendre poliment que je suis un goinfre, Stow? plaisanta-t-elle.

Il eut cette fois un large sourire, et son regard s'anima.

— Je n'irais pas jusque-là, Madame, dit-il avec un humour calme.

Elle se mit à rire, faisant résonner l'appartement d'un son cristallin. C'est à ce moment qu'Ashley apparut sur le seuil.

Stow lutta pour reprendre sa dignité et sortit avec le plateau.

Ashley regardait Selina, les sourcils froncés.

— Alors, même Stow! souffla-t-il. Jamais de ma vie je ne l'ai vu sourire ainsi!...

— Pourtant, c'est un être humain, comme nous tous! répliqua-t-elle légèrement en se levant.

Il barrait la porte. Elle marcha vers lui, puis s'arrêta, attendant qu'il lui laissât le passage.

— Je vais m'habiller pour le dîner, dit-elle. Au fait, nous ne pouvons pas sortir... Stow a prévu un repas, spécialement pour notre retour.

La bouche d'Ashley s'agitait, animée d'une rage silencieuse. Enfin, il dit amèrement :

— Ainsi, tu t'es arrangée pour t'en faire un esclave tout dévoué... J'aurais dû savoir que tu trouverais un moyen de l'émouvoir !...

— Puis-je aller dans ma chambre?

Sans un mot, il s'écarta, et elle passa devant lui.

Dans sa chambre, elle chercha quelque chose de nouveau à porter le soir. Ashley connaissait la plupart de ses robes... Elle s'arrêta au dernier portemanteau. Elle fronça les sourcils. Elle regardait la robe de soie noire en se mordillant la lèvre.

Oserait-elle? Elle ne l'avait jamais portée en dehors de la scène...

Elle se rappela l'air qu'avait eu Ashley lorsqu'il était venu la voir au cabaret, après la fausse annonce de sa mort. Elle était à la fois tentée et inquiète à l'idée de porter cette tenue devant lui.

Elle prit une douche et utilisa le parfum luxueux qu'Ashley lui avait offert quelques jours auparavant. Puis, après un bref débat intérieur, elle prit la robe noire.

Elle s'attarda à son maquillage, trop nerveuse pour aller rejoindre Ashley. Soudain, elle entendit la porte s'ouvrir derrière elle, et la voix irritée de son mari lui parvint :

— Selina, bon Dieu, pourquoi es-tu si longue?

Elle vit son regard s'éclairer en l'apercevant. Puis il reprit son attitude habituelle.

— Eh bien! c'est une déclaration de guerre, Selina?

Elle rougit.

— Je croyais que tu aimais cette robe, dit-elle,

ignorant volontairement la signification de ses paroles.

Il eut un sourire ironique.

— Quelle petite garce... Mais si cela t'amuse, après tout, allons-y! Cela peut être une soirée intéressante...

Il ouvrit toute grande la porte et s'inclina :

— Peut-être commencerons-nous tout de même par déguster le délicieux repas confectionné à notre intention par Stow? Après tout, ce sera plus facile pour toi si je suis attendri par la bonne chère et le vin...

Elle se redressa sous le sarcasme. Elle adressa à Ashley un sourire aussi léger et lumineux que le sien et passa devant lui dans un bruissement de soie.

Stow s'attarda derrière sa chaise, dans la salle à manger. Il guettait anxieusement une appréciation sur son repas. Il fut comblé lorsqu'elle tourna la tête vers lui en souriant :

— C'est délicieux, Stow.

Ashley les observait, l'air ironique.

— Stow a toujours eu l'impression que je n'appréciais pas ses talents de cuisinier, dit-il.

Stow se raidit, réprobateur.

— Avez-vous encore besoin de moi, Monsieur?

— Non, merci. Stow. Nous nous servirons nous-mêmes.

Le domestique se retira, fermant la porte derrière lui.

Selina sentit ses nerfs se nouer et se concentra sur son assiette.

Un peu plus tard, comme elle se penchait pour se servir de la merveilleuse mousse au citron, elle surprit un bref regard d'Ashley sur la blancheur de ses seins mise en valeur par la soie noire. Les battements de son cœur s'accélérèrent.

Elle but un verre de vin. Elle en avait déjà bu trop et s'aperçut avec satisfaction qu'Ashley en avait ingurgité encore plus. Ses yeux brillaient en la regardant à travers la table.

Stow vint annoncer qu'il servirait le café dans le salon.

— Ce qui veut dire que vous aimeriez que nous laissions la place? sourit Ashley en se levant.

— Stow veut débarrasser avant d'aller se coucher, précisa gentiment Selina en souriant au serviteur.

— Je le sais! rétorqua Ashley, un peu agressif.

Une seule lampe était allumée près de la cheminée dans laquelle un feu crépitait. Stow posa le plateau de café sur une table basse près du canapé.

Selina s'assit, servit deux tasses, ajouta de la crème et en tendit une à Ashley, qui s'était appuyé au manteau de la cheminée.

Elle but, retenant de la main une mèche de cheveux dorés. Ashley ne la quittait pas des yeux.

— Qu'as-tu l'intention de faire de moi, Ashley? Stow n'a visiblement besoin d'aucune aide. D'autre part, tu ne veux pas que je travaille. Que ferai-je donc toute la journée?

— « La fleur contribue à la douceur de l'été »... cita Ashley, la voix un peu épaissie par l'excès de vin.

— Il faut tout de même que j'aie une occupation, protesta-t-elle, non?

— Tu peux faire des travaux de broderie...

— Sois sérieux, Ashley!

— Cela te plairait, n'est-ce pas?

Il la regardait d'un air inquiétant.

— Dommage... Je n'ai pas l'intention d'entrer dans ton jeu, ma chérie... Tu auras bien mieux à faire que cela...

Les cils de Selina s'abaissèrent sur ses joues dorées.

— Tu as trop bu... dit-elle doucement.

— Pas assez! rétorqua-t-il. Je me contrôle parfaitement, Selina, je te préviens!

Elle termina son café, soudain glacée, et se leva d'un mouvement gracieux.

Ashley l'attrapa par le bras.

— Où crois-tu pouvoir aller?

— Au lit, répondit-elle calmement. Je suis lasse.

— Assieds-toi, aboya-t-il en la repoussant en arrière. Tu iras te coucher quand je te le dirai. Pas avant.

Elle se rassit, rouge de colère.

— Cesse de me traiter en esclave! cria-t-elle.

Il se pencha au-dessus d'elle, les yeux fixés sur sa bouche.

— C'est ce que tu es, mon amour. Tu ne le sais pas encore? Je t'ai achetée. Je peux faire de toi ce que bon me semble.

Elle était pétrifiée. Elle le regardait entre ses longs cils.

— Et que veux-tu faire de moi?

Il rougit violemment, se redressa, le souffle court, et, enfouissant ses mains dans ses poches, il se dirigea vers la cheminée. Il s'y appuya et la dévisagea avec insolence.

— Sers-moi une autre tasse de café.

Le ton était sec, insultant. Leurs regards s'affrontèrent dans le silence. Puis Selina baissa la tête et obéit. Il eut un geste bref.

— Apporte-le-moi.

Elle serra les lèvres mais s'exécuta.

— C'est mieux, dit-il triomphant... A présent, tu sais le genre d'épouse que je veux avoir... obéissante, humble, soumise.

Selina eut envie de gifler son visage souriant. Cependant, elle retourna s'asseoir sur le canapé sans un mot et se versa aussi du café.

Ils burent en silence.

Selina était incapable de lutter contre le formidable désir qu'elle avait d'Ashley, malgré son calme apparent... Tôt ou tard, elle finirait, comme il le voulait par le lui avouer ouvertement. Elle le supplierait de l'embrasser, de la caresser, de lui faire l'amour...

Ashley posa sa tasse et s'éloigna. Elle crut qu'il allait se coucher et le suivit du regard, désespérée. Mais il se dirigea vers un meuble d'où il sortit un disque. Une musique douce s'éleva. Il fit vers elle un geste d'appel.

Serrant bien fort ses mains entre ses genoux, Selina dit, sur un ton de défi :

— Je ne veux pas danser.

Elle ne voulait pas qu'il la tînt contre lui. Elle redoutait de sentir les cuisses musclées contre les siennes, la puissance de son torse... Elle ne supporterait pas longtemps ce contact.

Il le savait, lui aussi. Il savait qu'il avait le pouvoir d'embraser le feu qui coulait en elle. Ils jouaient tous deux un jeu dangereux, en équilibre sur une corde raide au-dessus d'un gouffre. Et Ashley avait la ferme intention qu'elle s'y précipitât avant lui...

— Viens ici, ordonna-t-il.

— Non ! refusa-t-elle en secouant la tête.

— Si tu m'obliges à venir te chercher, tu le regretteras, menaça-t-il.

A contrecœur, elle alla vers lui. Il glissa son bras autour de la taille fine. De ses longs doigts, il touchait la peau de son dos, et Selina se sentit trembler. Elle leva les yeux sur lui, mais son visage était impénétrable, parfaitement contrôlé.

Elle se colla à lui. Le feu combat le feu, se dit-elle... Ils se mirent à danser. Ashley baissa la tête et vint caresser la joue de Selina de la sienne. Elle eut envie de se détourner un tout petit peu pour pouvoir y poser ses lèvres. Il la conduisait adroitement, leurs cuisses se touchaient. Elle posa sa bouche contre la joue brune d'Ashley.

Il s'arrêta brusquement et la serra très fort contre lui, de ses deux bras. Il posait sur le visage levé vers lui un regard fixe et avide.

— Je te déteste, murmura-t-il d'une voix rauque. A en devenir fou... embrasse-moi...

Il écrasa ses lèvres sur les siennes avec un gémissement d'animal blessé. Il brûlait d'une fièvre que la douceur de la bouche offerte ne pouvait apaiser. Ses mains caressaient le dos nu avec un désespoir qu'il avait enfin cessé de dissimuler...

L'insistance de son baiser entraîna Selina dans la soumission la plus totale. Les yeux fermés, elle était noyée sous un flot de désir sensuel.

Quand il releva la tête, elle resta collée à lui, les mains nouées sur sa nuque, le visage levé, les lèvres entrouvertes et frémissantes de passion.

Devant son silence, elle releva ses paupières. Il l'observait, le visage torturé.

— Tu me montes à la tête plus que le vin, dit-il d'un ton qu'il voulait léger.

— Si nous dansions encore, suggéra-t-elle.

Il la lâcha et recula d'un pas, secouant la tête.

— Non! fit-il d'une voix enrouée.

Elle s'éloigna lentement, la soie noire ondulant sur ses formes élancées. Le désir se lisait dans le regard d'Ashley. Elle se dirigea vers la porte, puis s'arrêta et prononça, comme une douce et inconsciente invitation :

— Je vais me coucher, Ashley. Bonne nuit...

Il ne fit aucun geste, ne dit rien. Après une légère pause, elle sortit.

Elle se déshabilla dans sa chambre raffinée et luxueusement meublée. Elle tenait à la main sa chemise de nuit de dentelle lorsque la porte s'ouvrit. En rougissant, elle tenta de cacher sa nudité sous le vêtement transparent.

Ashley ne portait qu'un pantalon de pyjama. Son visage était de glace tandis qu'il marchait vivement vers elle. Il lui arracha sa chemise.

— Tu n'en auras pas besoin...

Selina, frissonnante, essaya de lire dans les yeux gris.

Pendant un moment, Ashley ne la toucha pas. Il se contentait de promener son regard sur ses épaules dorées, la blancheur de ses seins aux bouts durcis, son ventre plat et musclé, ses hanches bronzées et ses longues cuisses.

Elle ne tenta pas de se dérober, supportant la torture qu'il lui imposait aussi courageusement qu'elle le pouvait. Elle fixait volontairement son visage pour ne pas voir son torse nu.

Enfin, il poussa un gémissement de douleur sous la puissance de son désir.

— Tu sais l'effet que tu me fais, n'est-ce pas, Selina? J'ai dit que tu étais ma prisonnière... C'est moi qui suis le tien... depuis des années. Des années de frustration. Des années d'obsession, de faim que tu n'assouviras jamais... J'ai tant envie de toi que je pourrais te briser, Selina. Haine est un mot trop faible pour ce que je ressens vis-à-vis de toi, Selina...

— C'est toi qui as décidé de ne plus faire l'amour avec moi, précisa-t-elle doucement.

Ses dents s'entrechoquèrent de rage.

— Ne me torture pas! Tu sais pourquoi je suis là!

— Vraiment? murmura-t-elle? Vraiment, Ashley?

Il l'atteignit de ses mains fiévreuses et l'attira contre lui. Ses seins étaient écrasés contre sa poitrine dure. Son baiser l'embrasa tout entière. Elle perdait toute conscience du temps, les lèvres ouvertes et offertes aux siennes. Elle caressait son dos musclé, explorant, découvrant ce corps tendu...

Sans quitter ses lèvres, il la souleva et la porta sur le lit. Il s'allongea près d'elle. Leurs bouches semblaient ne plus pouvoir se détacher l'une de l'autre.

— Eteins la lumière... murmura Selina.

— Non. Je veux te voir...

Une cruauté latente perçait dans ses mots, et elle le repoussa un peu, avec une plainte de protestation.

Comme enflammé par sa résistance, il la prit entre ses genoux, l'emprisonnant au-dessous de lui. Il serra son visage entre ses mains. Ses yeux lançaient des éclairs. Elle n'y lut ni amour ni tendresse...

— Sais-tu ce que j'avais décidé, ce soir? demanda-t-il. J'avais l'intention de te mettre tout à fait hors de toi. Je voulais te voir inconsciente à tout ce qui n'était pas moi et ton envie de moi. Crois-tu que je n'ai pas compris que tu avais mis cette satanée robe pour me séduire? Ce n'était pas très discret, ma chérie. Je t'ai prévenue que c'était la guerre, non?

— Ce n'est pas indispensable... supplia-t-elle.

— Ça l'est, si je veux retrouver mon amour-propre, dit-il amèrement. Trop longtemps, je me suis laissé mener par toi. Nous allons inverser les rôles. Je veux t'entendre mendier, Selina... rien d'autre ne pourra me satisfaire. J'ai attendu cela des années. Et, malgré tout le désir, toute la supplication que je lirai dans tes yeux, je ne te toucherai pas...

— Mon amour, murmura-t-elle, agrippée à ses épaules, embrasse-moi...

— Comme cela?

Il se pencha pour toucher ses lèvres de sa bouche. Elle poussa une plainte de plaisir, et, au moment où elle s'offrait, ardente, il se releva. Les yeux voilés, haletante, elle le regarda.

— C'est une agonie, n'est-ce pas? fit-il la voix dure. Un véritable enfer... Vas-y, ma chérie. Montre-moi à quel point tu as envie de moi. Je veux t'entendre implorer comme je l'ai fait tant de fois...

Pendant une seconde, elle se sentit crucifiée. Mais le battement du cœur d'Ashley, l'ardeur qu'elle lisait dans son regard lui redonnèrent de l'espoir.

— Sais-tu ce que tu as fait de moi? Tu m'as ôté toute virilité. J'ai perdu mon orgueil, mon sang-froid, je me suis méprisé et je t'ai haïe pour le mal que tu m'avais fait...

Elle comprit que, pour l'atteindre, il lui fallait guérir son orgueil blessé. Sinon, ils ne parviendraient jamais à l'apaisement. Il avait besoin de sa vengeance. Il voulait la voir souffrir comme il avait souffert par le passé.

Elle devait abandonner sa fierté pour le convaincre que son désir était aussi ardent, aussi intense que le sien.

Elle le regarda entre ses cils et lut, une fois de plus, la passion dans ses yeux. Elle se redressa et baisa ses épaules, ses doigts courant le long des muscles de son dos.

— J'ai envie de toi... Prends-moi... Fais-moi l'amour. Ashley, je t'aime...

Il résistait, tendu. Mais elle s'accrocha, son corps épousant le sien, balbutiant entre ses baisers :

— Je t'en supplie, je t'en supplie, Ashley...

Il capitula avec un gémissement farouche. Il la renversa contre l'oreiller. Au moment où il pénétra en elle, elle sentit son corps tout entier s'embraser sous lui.

Il n'y eut pas de douceur dans leur étreinte. Ce n'était pas ce qu'ils voulaient. Il exigeait, elle se donnait. Leurs corps brûlaient de la même flamme, désespérée, avide, attisée par chaque mouvement jusqu'à l'explosion finale de leur plaisir.

Quand Selina reprit enfin son souffle, Ashley bougea paresseusement contre elle et plongea son regard dans ses yeux.

— Je n'arrive pas à y croire, dit-il, la voix enrouée. C'est inouï...

Les yeux verts scintillèrent derrière la grille des cils blonds.

— Tu le regrettes ?

— Non, espèce de séductrice... Dis-moi que tu m'aimes...

— Tu ne le sais pas ? Ce n'était pas un tout petit peu évident, il y a un instant ? plaisanta-t-elle.

— Je veux que tu me le dises encore...

— Je t'aime, je t'aime, je t'aime...

Après un long et tendre baiser, Ashley soupira :

— Tu es irrésistible, tu sais ? Tous les hommes qui posent les yeux sur toi te désirent.

— Ne sois pas idiot !

— Oh mais c'est vrai! s'obstina-t-il. Ravern affirmait qu'il n'avait pas pu te faire sortir de son esprit. Je sais ce qu'il voulait dire. Tu es une provocation permanente. Même quand tu étais enfermée dans un bloc de glace, tu n'avais qu'à sourire pour que je me mette à bouillir.

Il laissa errer ses mains sur les tendres courbes de ses seins. Elle gémit, de nouveau abandonnée.

— Je t'aime, murmura-t-il. Dieu, que je t'aime...

— On dirait une sentence de mort, plaisanta-t-elle.

— C'est une sentence de vie! Si tu savais comme j'ai été jaloux de Ravern... J'avais tellement peur que tu ne sois attirée par lui!

— Tu devrais savoir que tu es terriblement plus séduisant que lui!...

— Ne te moque pas de moi, petite sorcière! dit-il en finissant par rire. Alors, tu es sûre que tu n'as pas un faible pour Sir Daniel?

— J'ai eu une légère inclination pour lui, à cause du procès, avoua-t-elle. Mais je t'appartenais trop pour pouvoir être attirée par un autre homme.

— Tu es à moi, Selina? Complètement?

— Veux-tu que je te le prouve de nouveau? dit-elle gaiement.

— Je te rappellerai cette offre un peu plus tard... menaça-t-il. Si tu savais, mon amour, comme j'ai eu peur de te perdre à nouveau, ces derniers jours! J'étais jaloux de chacun de tes sourires... même de Stow!

— Oh! Ashley! Comment peux-tu être aussi absurde! dit-elle, une petite flamme de joie dansant dans ses yeux verts. Stow qui déteste les femmes?...

— Lui aussi te trouve irrésistible... Quand je t'ai entendue rire et que je l'ai vu te regarder avec cette indulgence souriante, j'avais envie de tout casser.

Il posa une main possessive sur le long cou de sa femme.

— A présent, tu veux m'étrangler?

— J'y ai pensé... J'ai envisagé des centaines de morts

pour toi. Mais cela m'aurait privé de toi. J'étais devenu un fou, avec une seule obsession : toi.

— Maintenant, tu es satisfait? demanda-t-elle, un peu effrayée encore par la démence qu'elle lisait dans son regard.

— Tu connais la réponse...

— Pourtant, tu m'as dit un jour que tu ne voulais plus de moi...

— J'ai menti! Je voulais te punir de la souffrance que tu m'as fait endurer. J'étais fou, fou de toi. J'en étais jaloux de ce petit imbécile qui prétendait connaître Roger. J'aurais pu le tuer. L'insécurité rend dangereux... Et je t'aurais tuée ensuite.

— Tu l'aurais fait?

Un peu de son ancienne peur de lui revenait à la surface.

— Après t'avoir fait l'amour pendant des jours, des semaines, des années, peut-être... Tu ne comprends pas à quel point je te désire, Selina. Depuis le jour où nous nous sommes rencontrés. Tu étais enracinée dans mon cœur, et je n'ai jamais pu t'en faire sortir... Dieu sait pourtant que j'ai essayé! Avec des douzaines d'autres femmes!...

— C'est vrai? s'écria-t-elle d'une voix enrouée.

Il sourit tendrement.

— J'ai essayé seulement, Selina. J'ai dû reconnaître mon échec... J'ai cessé de lutter contre ma passion pour toi. Je ne vivais que pour les rapports de mon détective. Il m'envoyait même des photos de toi. Je les ai toutes gardées. J'en tapissais ma chambre. Tu me semblais devenir plus jolie de jour en jour...

— Des photos de moi faisant quoi? demanda-t-elle, décontenancée.

— Marchant, chantant, faisant des courses... Tout et rien...

— Oh, Ashley... soupira-t-elle, émue.

Il l'embrassa.

— Toi, tu n'as pas dû penser à moi une seule fois, risqua-t-il d'un ton désinvolte, mais avec un regard intense.

— Je n'ai pas pensé à grand-chose d'autre, avoua-t-elle doucement. A l'annonce de ta mort, j'ai cru mourir moi-même... Quand je t'ai vu au cabaret, le soir, j'ai cru que c'était un mirage...

— Je suis heureux que tu aies un peu souffert! Ce n'est que justice...

— Si seulement je t'avais avoué la vérité au début...

— De temps en temps, je me disais qu'il devait y avoir une raison à ton angoisse sexuelle. Mon détective n'a rien pu me dire sur ton passé, avant tes débuts chez Freddy.

— J'avais changé de nom, pour que les autorités ne m'enlèvent pas Roger. Ils ne l'auraient pas laissé à la garde d'une gamine de seize ans qui chantait dans un cabaret...

— Nous devrons nous occuper de Roger, dit Ashley tranquillement. Ce garçon a besoin d'une main plus ferme que la tienne, Selina.

— Il a eu une enfance terrifiante, dit-elle anxieuse.

— Je sais... Mais, comme toi, ma chérie, il faut bien qu'il finisse par devenir adulte. Me fais-tu confiance en ce qui le concerne?

— Je te fais confiance pour tout... répondit-elle en posant la tête sur l'épaule de son mari.

— Oh, Dieu, que je t'aime!

Une telle passion animait sa voix que le cœur de Selina se mit de nouveau à battre la chamade. Il chercha sa bouche, et leur baiser fut un acte de possession aussi profond que l'acte d'amour lui-même. Selina se donna sans réserve sentant le corps frémissant d'Ashley répondre à sa passion.

— Me pardonneras-tu la cruauté de notre lune de miel? demanda-t-il tendrement un peu plus tard. Je voulais être patient mais je perdais la tête dès que j'étais près de toi. Tu es si belle... Je ne voulais pas te faire de mal.

— Pendant quelques heures, après la première fois, je t'ai détesté, avoua-t-elle. Mais je t'aimais tant, moi aussi, que je savais, tout au fond de moi, en avoir eu envie comme toi. Parce que l'amour nous dominait. J'avais peur, chéri... mais je voulais que tu recommences. Je crois que j'ai été à moitié guérie en apprenant la nouvelle de ta mort. Je t'avais toujours désiré mais j'étais effrayée. Quand j'ai cru que je ne pourrais jamais plus te toucher, je me suis aperçue que la peur était moins forte que l'amour...

— Pourtant quand tu m'as revu, tu m'as combattu de nouveau, protesta-t-il en fronçant les sourcils.

Elle haussa les épaules.

— Je sais... Je crois que c'était le dernier sursaut. Les ultimes barrières s'effondraient. Puis tu m'as fait l'amour et j'ai pris conscience que ce n'était pas si terrifiant. Alors, elles se sont écroulées tout à fait. Surtout, tu n'as pas paru choqué ni rebuté par ce que tu avais appris de mon passé, comme je l'avais redouté...

— Petite folle, murmura Ashley, le regard tendre. Rien ne pourrait m'éloigner de toi. Rien ne viendra plus nous séparer, désormais. Je t'ai et je te garde. Pour le reste de notre vie... Tu devras t'y faire...

— Alors, commençons tout de suite... dit Selina, heureuse, s'offrant sans réticence à ces bras exigeants.

Les traits dominants des POISSONS

par MADAME HARLEQUIN

POISSONS (20 février-20 mars) :

Fidèle et loyal, le natif des Poissons paraît doux et souple mais ce n'est qu'une apparence et il se raidit devant toute autorité.

En effet il redoute les volontés plus fortes que la sienne, capables d'anéantir sa personnalité.

Rêveur et imaginatif il agit par intuitions et est attiré par les jolies choses. Il se laisse porter par la vie sans chercher à tirer profit des occasions rencontrées.

C'est un travailleur appliqué, mais ses façons d'agir sont assez déroutantes.

Il apprécie énormément le confort et aime se trouver en famille dans une ambiance amicale.

POISSONS

(20 février-20 mars)

Malgré son divorce, Selina n'a jamais cessé, sans s'en rendre compte, d'aimer Ashley. La fidélité des Poissons n'est pas un vain mot et cette loyauté ne se dément jamais.

La personnalité très forte de son mari écrase ses doutes et ses terreurs, ne laissant pas de place pour des regrets : l'amour auquel rêve Selina n'est pas loin, il est là, il guette, prêt à prendre ses droits pour le bonheur de tous.

Tout un monde d'évasion!

Dans chaque roman de Collection Harlequin...

- · vous retrouvez un monde fait de tendresse
- · vous abordez des terres inconnues
- · vous partagez la vie de personnages sincères

Dans chaque roman de Collection Harlequin...

- · LA REALITE DE L'AMOUR
- · LE TRIOMPHE DE L'AMOUR

Collection Harlequin... Faites-en votre monde!

Tout un monde d'évasion!

*Tous les mois chez votre dépositaire
ou par abonnement en écrivant au Service des
Livres Harlequin, Stratford (Ontario) N5A 6W2*

Collection Harlequin

Les chefs-d'oeuvre du roman d'amour

Recevez chez vous 6 nouveaux livres chaque mois... et les 4 premiers sont GRATUITS!

Associez-vous avec toutes les femmes qui reçoivent chaque mois les romans Harlequin, sans avoir à sortir de chez elles, sans risquer de manquer un seul titre.

Des histoires d'amour écrites pour la femme d'aujourd'hui

C'est une magie toute spéciale qui se dégage de chaque roman Harlequin. Ecrites par des femmes d'aujourd'hui pour les femmes d'aujourd'hui, ces aventures passionnées et passionnantes vous transporteront dans des pays proches ou lointains, vous feront rencontrer des gens qui osent dire "oui" à l'amour.

Que vous lisiez pour vous détendre ou par esprit d'aventure, vous serez chaque fois témoin et complice d'hommes et de femmes qui vivent pleinement leur destin.

Une offre irrésistible!

Recevez, *sans aucune obligation de votre part*, quatre romans Harlequin tout à fait *gratuits!*
Et nous vous enverrons, chaque mois suivant, six nouveaux romans d'amour, au bas prix de $1.95 chacun (soit $11.70 par mois), plus de légers frais de port et d'emballage de 39¢.
Mais vous ne vous engagez à rien: vous pouvez annuler votre abonnement à tout moment, quel que soit le nombre de volumes que vous aurez achetés. Et, même si vous n'en achetez pas un seul, vous pourrez conserver vos 4 livres gratuits!

Bon d'abonnement

à envoyer à: COLLECTION HARLEQUIN, Stratford (Ontario) N5A 6W2

OUI, veuillez m'envoyer *gratuitement* mes quatre romans de la COLLECTION HARLEQUIN. Veuillez aussi prendre note de mon abonnement aux 6 nouveaux romans de la COLLECTION HARLEQUIN que vous publierez chaque mois. Je recevrai tous les mois 6 nouveaux romans d'amour, au bas prix de $1.95 chacun (soit $11.70 par mois), plus de légers frais de port et d'emballage de 39¢. Je pourrai annuler mon abonnement à tout moment, quel que soit le nombre de livres que j'aurai achetés. Quoi qu'il arrive, je pourrai garder mes 4 premiers romans de la COLLECTION HARLEQUIN tout à fait GRATUITEMENT, sans aucune obligation.
Cette offre n'est pas valable pour les personnes déjà abonnées.

Nos prix peuvent être modifiés sans préavis.   Offre valable jusqu'au 28 février 1983

Nom	(en MAJUSCULES, s.v.p.)	
Adresse		App.
Ville	Prov.	Code postal

AB208

CONNAISSEZ-VOUS LE PAYS DE L'AMOUR?

L'amour est un pays mystérieux dont vous rêvez souvent, un pays où vos désirs les plus fous deviennent réalité. Faites-en la découverte avec...

Harlequin Romantique

La grande aventure de l'amour!

Tous les mois chez votre dépositaire ou par abonnement en écrivant au Service des Livres Harlequin, Stratford (Ontario) N5A 6W2